Virginie Dussault

AMOUR VAINQUEUR

Les Éditions David remercient le Conseil des Arts du Canada, le ministère du Patrimoine canadien, par l'entremise du Partenariat interministériel avec les communautés de langue officielle (PICLO), le Secteur franco-ontarien du Conseil des arts de l'Ontario et la Ville d'Ottawa.

Les Éditions David remercient également Alexandra et Patrick Champagne, Coughlin & Associés ltée, le Cabinet juridique Emond Harnden et la Firme comptable Vaillancourt ♦ Lavigne ♦ Ashman.

Les Éditions David expriment en outre toute leur gratitude au vice-recteur à l'enseignement à la recherche (Affaires francophones) et au doyen de la faculté des Sciences humaines de l'Université Laurentienne.

Données de catalogage avant publication de la Bibliothèque nationale du Canada

Dussault, Virginie, 1891-1969
Amour vainqueur de Virginie Dussault (1891-1969) / texte édité par Micheline Tremblay.

(Collection Voix retrouvées ; 6)
Comprend des références bibliographiques
ISBN 2-89597-007-6

I. Tremblay, Micheline, 1947- II. Titre. III. Collection.

PS8507.U9A75 2003 C843'.52 C2003-904942-6

Typographie et montage : Mario Lafond

Les Éditions David
1678, rue Sansonnet
Ottawa (Ontario)
KlC 5Y7

Tél.: (613) 830-3336
Télécopieur: (613) 830-2819

Internet: www3.sympatico.ca/ed.david/
Courriel: ed.david@sympatico.ca

Dépôt légal (Québec et Ottawa), 3e trimestre 2003

Virginie Dussault

AMOUR VAINQUEUR

Édition préparée
par
Micheline Tremblay

Collection
Voix retrouvées

PRÉAMBULE

Au début des années 1990, dans le cadre d'une recherche sur la présence du cinéma dans le roman canadien-français de 1896 à 1970, je me suis adonnée à lire le roman de Virginie Dussault, *Amour vainqueur*.

Cette lecture m'a fascinée. Non pas à cause de ses qualités narratives ou littéraires mais parce qu'il se dégageait de ce roman un portrait de femme avide de connaissances et déterminée à trouver le bonheur par l'instruction et l'argent, un personnage féminin peu commun dans la littérature canadienne-française de cette époque.

Et c'est ainsi que la Ninie de Virginie Dussault resta accrochée de longues années dans ma mémoire. J'en parlais à des collègues. Certains, dont Yves Lefier et Stéphane Gauthier, en firent la lecture. Leurs commentaires me confirmèrent l'intérêt de cette auteure. Historien, mon conjoint Guy Gaudreau sut me convaincre de l'importance d'écrire un article à ce sujet puisque ce roman montrait bien qu'il existait, à côté de l'idéologie conservatrice des débuts du XXe siècle, une autre façon de vivre et de penser. Pour ce faire, je me rendis à Saint-Bruno-de-Guigues, lieu de naissance de Virginie Dussault, ainsi qu'à Ville-Marie où je dépouillai le fonds d'archives de Virginie-Dussault et d'Angelo-Petosa, son mari. L'article parut dans la *Revue du Nouvel-Ontario* en 2002 et j'en reprends de larges parties dans la présentation de cette réédition.

Puis, les événements se sont enchaînés rapidement. Après une entrevue radiophonique menée par Stéphane Gauthier – devenu chroniqueur culturel à la radio de Radio-Canada à Sudbury –, il m'apprit l'existence de la collection « Voix retrouvées » aux Éditions David. J'écrivis à son directeur, Yvon Malette, qui crut immédiatement au projet.

AMOUR VAINQUEUR

J'espère que la lecture d'*Amour vainqueur* vous permettra de voir comment Virginie Dussault est parvenue en 1915, contrairement aux romanciers de cette époque, dont Louis Hémon dans *Maria Chapdelaine*, à représenter différemment la vie des femmes au début du siècle dernier.

Micheline Tremblay

REMERCIEMENTS

Je tiens à remercier tous ceux et celles qui m'ont encouragée et aidée dans la réalisation de ce projet : Yves Lefier et Stéphane Gauthier pour leur lecture enthousiaste; Cécile Herbet pour m'avoir ouvert le fonds d'archives de Virginie-Dussault et d'Angelo-Petosa à Ville-Marie (Témiscamingue); Harley d'Entremont, vice-recteur à l'enseignement et à la recherche (affaires francophones) et Donald Dennie, doyen de la faculté des Sciences humaines, tous deux de l'Université Laurentienne, pour leur appui financier; Yvon Gauthier, directeur de la *Revue du Nouvel-Ontario* où fut publié l'article « Virginie Dussault : une auteure subversive (1891–1969) »; Roger Le Moine, Réjean Robidoux et Marc Pelletier, pour leur lecture attentive et leurs commentaires judicieux; Yvon Malette des Éditions David pour sa profonde conviction que ce roman méritait une réédition. Un merci particulier à mon fils, Étienne-Julien Lacroix, qui a accepté de faire la saisie informatique du texte. Et surtout, j'adresse mon immense gratitude à mon conjoint, Guy Gaudreau, non seulement pour ses nombreuses lectures, ses commentaires pertinents en tant qu'historien et pour tout le soin qu'il a mis à informatiser les photographies et illustrations, mais surtout pour son soutien indéfectible.

CHRONOLOGIE[1]

1889	François-Xavier Dussault et Exilia Couillard-Després s'établissent à Guigues. Ils auront huit enfants.
21 avril 1891[2]	Naissance de Virginie Dussault à Guigues de F.-X Dussault, cultivateur, et d'Exilia Couillard-Després.
26 mars 1892	Naissance d'Angelo Petosa à Vinciaturo (Campobassa, Italie)
1905	Angelo Petosa s'embarque clandestinement sur un bateau en partance pour New York. Il travaillera comme « chow boy » aux États-Unis.
1910	Virginie Dussault étudie à Chatham (Ontario) après avoir fait son cours élémentaire au Témiscamingue.
1912	Études à l'école normale de Trois-Rivières au Monastère des Ursulines.
1915	Édition du roman *Amour vainqueur*, à compte d'auteure, à l'imprimerie J.-R. Constantineau, Montréal.
Autour de 1915	Départ pour Bonnyville (Alberta). Elle y enseignera pendant 7 ans.

---

1 Ces renseignements proviennent en grande partie de « Regarde j'ai tant à te dire... » du Comité du livre de Saint-Bruno-de-Guigues et Daniel Côté, publié à l'occasion du centenaire de Saint-Bruno-de-Guigues (1897–1997) de même que de l'article de Guildo Rousseau, « Amour vainqueur », Maurice Lemire (dir.), *Dictionnaire des oeuvres littéraires du Québec, tome II, 1900 à 1939*, Fides, 2e éd., Montréal, 1980, p. 44.

2 D'après Guildo Rousseau, elle serait plutôt née le 2 juillet 1891.

8 décembre 1915	Angelo Petosa se porte volontaire lors de la Première Guerre mondiale dans le « 151st Overeseas Battalion C.E.F. » de l'armée canadienne à Wainwright (Alberta). Comme il est encore citoyen italien, il n'est pas accepté. Il reste au Canada où il travaille dans un parc de bisons, à Wainwright. Il aurait aussi travaillé à la construction du chemin de fer entre Vancouver et Calgary.
3 août 1920	Virginie Dussault épouse Angelo Petosa.
1922	Retour des Dussault-Petosa à Saint-Bruno-de-Guigues où ils s'installent définitivement. Virginie Dussault enseigne et écrit dans des journaux (*La Patrie, Le Droit)* tout en composant des poèmes. Quant à son mari, il s'adonne à la culture et à l'élevage; il est aussi entrepreneur et il fait le commerce de meubles et d'articles d'occasion. Il est aussi prospecteur et actionnaire dans plusieurs groupes d'exploration minière au Témiscamingue.
1930	Lauréate de la Société des poètes canadiens-français.
Automne 1933	Décès du père de Virginie Dussault.
[septembre] 1936	Elle remporte le « Concours littéraire » organisé par *La voix populaire,* hebdomadaire français de Timmins (Ontario).
1942	Lauréate de la Société des poètes canadiens-français pour son poème sur le tricentenaire de Montréal.
1950	Lauréate de la Société des poètes canadiens-français.

1955 — Publication de poèmes dans l'*Album Souvenir – 50e anniversaire de la Paroisse St-Bruno-de- Guigues, Témiscamingue (Québec) 1905–1955.*

1967 — Mort d'Angelo Petosa à l'hôpital de Ville-Marie. Il repose au cimetière de Saint-Bruno-de-Guigues. Dans la notice nécrologique rédigée par Virginie Dussault, on y apprend qu'il a une soeur en Italie et qu'il laisse aussi dans le deuil M. et Mme Ligouri Dussault de même que ses belles-soeurs, Mme E. Giroux de Guigues et Mme Frank Dussault d'Angliers.

14 juillet 1969 — Mort de Virginie Dussault à l'hôpital de Ville-Marie. Elle est enterrée au cimetière de Saint-Bruno-de-Guigues le 17 juillet. Elle laisse dans le deuil : les familles Henri Adélard, Frank, Edgar et Ligouri Dussault, Emmanuel Giroux et Jean-Baptiste Quesnel[3].

---

3 « Décès de Mme Angelo Petosa reconnue pour ses talents littéraires » dans *La Frontière – Le Journal du Nord-Ouest québécois*, 23 juillet 1969, p. 53

Virginie Dussault et son mari, Angelo Petosa

PRÉSENTATION[1]

Virginie Dussault (1891–1969) est passée totalement inaperçue dans le monde des lettres canadiennes-françaises. Son roman *Amour vainqueur*[2] (1915) ne fut ni un succès de librairie ni une oeuvre littéraire majeure et n'a pas retenu l'attention du public ou des critiques[3]. Même si ses poèmes ont parfois remporté des prix de diverses sociétés littéraires, ils sont vite disparus dans l'oubli; quelques-uns seront publiés dans un ouvrage collectif portant sur les femmes du Témiscamingue[4] de même que dans l'album-souvenir célébrant le centième anniversaire de Saint-Bruno-de-Guigues[5].

Pourquoi alors s'intéresser à cette auteure et rééditer son unique roman? C'est qu'*Amour vainqueur* donne une image des femmes et de la société canadiennes-françaises peu conforme à la représentation qu'en font généralement les autres romans de la même époque. La réédition de ce texte le démontre éloquemment. Le moins que l'on puisse dire, c'est que le personnage principal de Dussault, Ninie, sort des sentiers

---

1 Cette présentation reprend en partie un article publié récemment dans la *Revue du Nouvel-Ontario*; voir Micheline Tremblay, « Virginie Dussault : une auteure subversive (1891-1969) », *Revue du Nouvel-Ontario*, n° 27, 2002, 93–122.

2 Virginie Dussault, *Amour vainqueur*, Montréal, Imprimerie J.-R. Constantineau, 1915, 164 p.

3 Jusqu'à présent, malgré le dépouillement de *La Presse* et du *Droit* dans les mois suivant la parution du roman, nous n'avons trouvé aucun résumé, communiqué ou critique d'*Amour Vainqueur*.

4 Francine Hudon (dir.), *Vie et histoire des femmes du Témiscamingue*, Ville-Marie, Imprimerie du Témiscamingue, 1988, 414–420.

5 Virginie Dussault-Petosa, « Hommage à nos pionniers 1863-1890 », dans Le comité du livre de Saint-Bruno de Guigues et Daniel Côté, *Regarde, j'ai tant à te dire... L'histoire, Centenaire de la municipalité de Saint-Bruno-de-Guigues* 1897-1997, Municipalité de Saint-Bruno-de-Guigues, 1997, p. 41.

battus. En effet, contrairement aux autres héroïnes romanesques de l'époque, Ninie trace elle-même sa voie et se démarque par son désir de liberté. Une liberté qui passe par l'instruction, la langue anglaise, la richesse et les États-Unis. Elle crée ainsi un nouveau type de personnage féminin dans la littérature canadienne-française.

Esquisse biographique de Virginie Dussault

De sa biographie, on ignore presque tout sauf les quelques lignes que lui consacre Guildo Rousseau[6] et celles publiées dans l'album-souvenir cité ci-dessus. Il faut consulter sa correspondance et ses notes personnelles conservées aux Archives de la Société d'histoire du Témiscamingue[7] pour en apprendre davantage.

Virginie Dussault naît en 1891, deux ans après que ses parents, François-Xavier Dussault et Exilia Couillard-Després, se sont établis à Guigues. On peut s'imaginer l'allure de cet embryon de village du Témiscamingue près de la frontière ontarienne. Une fois l'école élémentaire complétée, en opposition à la doxa traditionnelle, Virginie impose sa volonté de poursuivre des études en langue anglaise et quitte donc le Québec pour se rendre à Chatham (Ontario), en 1910; elle y étudiera pendant un an chez les Ursulines. On la retrouve, vers 1912, pensionnaire au Monastère des Ursulines, à Trois-Rivières, où elle suit, pendant une brève période, des cours à l'école normale. Elle veut ensuite étudier au collège commercial Excelsior à Montréal. Malheureusement, « les Pères n'enseignent qu'aux jeunes gens[8] » et on lui offre l'adresse « d'un professeur compétent et très recommandable[9] » chez qui elle pourrait suivre des cours privés de

6 Maurice Lemire (dir.), *Dictionnaire des oeuvres littéraires du Québec*, tome II (dorénavant *DOLQ)*, Montréal, Fides, 2e édition, 1987. Voir l'article de Guildo Rousseau, « Amour vainqueur », p. 44.

7 Fonds Virginie-Dussault et Angelo-Petosa, FP Dussault-Petosa, Ville-Marie, Archives nationales du Québec, Centre régional de l'Abitibi-Témiscamingue, cote 08/SHT/O - FP (dorénavant FVDAP).

8 FVDAP, Lettre d'Alice Taschereau à Virginie Petosa, 14 janvier 1935, Ville-Marie, cote 08/SHT/O - FP.

9 *Ibid.*

secrétariat. Peu de temps après la publication de son roman, c'est le départ en Alberta, à Bonnyville, où elle enseignera durant sept ans. Séjour heureux puisqu'elle y rencontre un immigrant italien, Angelo Petosa, qu'elle épousera le 3 août 1920. Une fois revenue à son lieu natal avec son mari, en 1922, Virginie Dussault partage son temps entre l'enseignement et l'écriture. Certains de ses poèmes seront primés dans divers concours littéraires. Elle publie également des articles dans des journaux tels *La Patrie* et *Le Droit* pour lesquels elle agit à titre de correspondante de sa région. De plus, elle rédige des textes publicitaires et des discours politiques pour le parti créditiste auquel elle a adhéré, probablement à la suite de son séjour dans l'Ouest. Elle meurt en 1969 sans laisser de descendants.

Cette esquisse biographique donne la mesure du personnage : une femme qui n'a pas peur du risque, de l'aventure et chez qui on sent un désir d'indépendance peu commun parmi la gent féminine en ce début du XXe siècle. En conférant sa personnalité aventureuse et ses valeurs au personnage principal de son unique roman, *Amour vainqueur*, Dussault a ainsi permis à son héroïne de se distinguer de la plupart des personnages féminins des romans publiés dans le premier quart du siècle dernier.

Le roman *Amour vainqueur* (1915)[10]

Pour mieux situer ce roman, il faut se référer à l'ensemble de la production romanesque du Canada français, au début du XXe siècle. Les principales bibliographies[11] recensent quelque soixante romans et récits : romans historiques, sociaux ou apostoliques dans lesquels on s'attarde à défendre une thèse

10 Pour un compte rendu critique de ce roman, voir Guildo Rousseau, « Amour vainqueur », dans Maurice Lemire (dir.), *DOLQ, tome II, 1900–1939,* Montréal, Fides, 1987, p. 44.

11 Maurice Lemire (dir.), *DOLQ, tome II, 1900 à 1939,* 2e édition, Montréal, Fides, 1987, 1386 p.; Antonio Drolet, *Bibliographie du roman canadien-français, 1900–1950*, Québec, Les Presses de l'Université, 1955, 125 p. ; Paul Wyczynski, Bernard Julien, Jean Ménard, Réjean Robidoux, *Le Roman canadien-français. Tome III*, Ottawa, Fides, Archives des lettres canadiennes, 1964, 436 p.

qu'elle soit patriotique ou religieuse – souvent les deux à la fois. Avant 1915, date de la parution d'*Amour vainqueur*, moins d'une dizaine sont signés par des femmes[12], le plus souvent sous un nom de plume; en fait, seules Adèle Bibaud et Virginie Dussault révèlent leur vrai nom et, exception faite d'Adèle Bibaud, toutes les autres n'ont publié qu'un seul roman avant la parution d'*Amour vainqueur*[13]. De façon générale, les romancières ne dérogent guère, que ce soit dans la forme, le sujet ou les valeurs de leurs romans des normes édictées par l'élite cléricale. Elles rédigent le plus souvent des romans historiques ou des récits à teneur biographique dans lesquels, la plupart du temps, les personnages féminins manifestent résignation et sacrifice[14].

Comme plusieurs romans de ce temps, *Amour vainqueur* a été imprimé à compte d'auteure, à Montréal, par l'Imprimerie J.-R. Constantineau[15]. À sa parution, le 26 février 1915 – date indiquée sur la page de garde du roman –, il passe inaperçu. Il en fut de même par la suite. Seul Guildo Rousseau s'y est intéressé un tant soit peu dans sa thèse de doctorat[16] et dans l'article déjà cité du *DOLQ*. En ouvrant le roman, le lecteur peut voir le portrait de l'auteure; on l'observe de profil, de

12 Laure Conan (Félicité Angers), *L'oubliée*, dans *Oeuvres romanesques, tome 1*, Montréal, Fides, coll. Nénuphar, (1900) 1975, p. 227-313; Adèle Bibaud, *Avant la conquête - Épisode de guerre de 1757*, Montréal, The Montreal Printing & Publishing Co., 1902, 172 p.; Rose de Provence (Rose Mange), *Coeur magnanime*, Montréal, 1908; Adèle Bibaud, *Les Fiancés de Saint-Eustache*, Montréal, s.é., 1910, 163 p.; Gaétane de Montreuil (Georgina Bélanger), *Fleur des ondes*, Québec, Imprimerie commerciale, 1912, 161 p.

13 Les autres romans de Laure Conan seront publiés après 1915.

14 Les romans d'Adèle Bibaud se rangent parmi les romans historiques, alors que celui de Rose de Provence reste un bon exemple de l'esprit de sacrifice.

15 Une consultation de l'annuaire municipal de Montréal nous apprend que cette imprimerie était en affaires au moins depuis 1900 et qu'elle continuera à l'être après la parution du roman. Compte tenu que son nom n'apparaît pas sur la liste des imprimeries de Montréal placée au début de l'annuaire, on peut présumer qu'il s'agit d'une petite entreprise car faire inscrire son nom sur cette liste exigeait, à l'époque, un déboursé.

16 Guildo Rousseau, *L'Image des États-Unis dans la littérature canadienne-française de 1775 à 1925*, Thèse de doctorat ès lettres, Sherbrooke, Université de Sherbrooke, 1971, 271–280.

la tête aux hanches; le bras droit replié, appuyé sous son menton dans une pose qui se veut nonchalante, élégante, féminine. Cette féminité, on la remarque également dans son chignon relevé qui dégage son cou mettant ainsi en évidence ce qui semble être un ruban, peut-être un collier. La tête droite, les yeux grands ouverts et légèrement relevés montrent sa détermination à se distinguer des postures habituelles. Peu de romancières se sont ainsi mises en évidence au début de leur roman.

Suit une préface adressée « À mon Affectionné », qu'elle signe de son unique prénom, Virginie, ce qui donne à ces quatre pages une allure de dédicace personnelle. Expliquant ensuite les circonstances qui l'ont amenée à écrire ce roman, elle affirme que cette histoire est bien la sienne et qu'elle et le personnage principal, Ninie, ne font qu'un (d'ailleurs, Ninie n'est-il pas le diminutif de Virginie?). Ces faits montrent sa volonté d'inscrire son roman dans le genre autobiographique. Pourtant, le récit adopte généralement la narration omnisciente et non le « je » auquel le lecteur serait en droit de s'attendre.

Le roman se compose de onze chapitres dont les titres peu cohérents manifestent clairement la maladresse narrative de la jeune auteure[17]. La situation initiale présente Ninie alors qu'elle est âgée de sept ans; elle affirme à sa mère sa volonté de poursuivre des études pour devenir riche. Adolescente, elle fréquente un jeune Canadien français de Haileybury, Rogers[18], et c'est sur le lac Témiscamingue qu'il lui fait l'aveu de son amour. Mais Ninie veut s'instruire et elle n'hésite pas à s'éloigner de son foyer pour s'inscrire dans un couvent anglophone – mais catholique – de Chatham (Ontario). Elle est

17 Pour s'en convaincre, voir la reconstitution des chapitres et des titres ajoutée dans la table des matières à la fin du roman : plusieurs titres se répètent à l'intérieur d'un chapitre; certains chapitres portent des titres alors que d'autres n'en ont pas; on trouve une erreur dans la numérotation des chapitres (deux chapitres V et pas de chapitre VI); certains « titres » résument le contenu alors que d'autres sont simplement numérotés, etc.

18 L'auteure met un « s » à Roger, confondant peut-être le nom de famille anglophone Roger**s** avec le prénom français. Toutefois, lorsque ce nom apparaît au bas des illustrations, il est écrit sans « s » puisque celles-ci ne semblent pas avoir été dessinées par l'auteure (au bas des illustrations

prête à « suspendre [ses] amitiés et amour de coeur de jeune fille » (74)[19] pour s'instruire et bien gagner sa vie, y voyant même un atout dans sa vie de femme – « quand je serai de retour, bien instruite, l'an prochain, tu m'aimeras peut-être davantage? » (75). Elle désire gagner de « gros écus blancs » (56) afin d'avoir une « vie sortant de l'ordinaire » (59).

À la veille du départ de Ninie, on organise une fête en son honneur : « On dégusta de bons mets, on but de la bonne bière et du bon whiskey[20] blanc canadien; puis, tous les convives se livrèrent à divers amusements, causeries, jeux de cartes, sauteries, etc. » (72). Plus loin, « les jeunes convives commencèrent à exécuter des tours de valse » (74) et « tout le monde s'amusait, les uns à chanter, les autres à danser » (75). Indéniablement, ceux qui participent à cette fête semblent dépourvus des préjugés négatifs qui se rattachent généralement, à cette époque, à l'alcool et à la danse[21].

Au couvent de Chatham, « toutes les prières sont faites en anglais » (83). Cela ne déplaît aucunement à Ninie qui ne semble pas craindre l'assimilation. En pleine période du Règlement XVII, Ninie rencontre l'évêque du diocèse qui,

---

apparaît la plupart du temps une vague forme de « *s* » qui semble la signature de l'artiste).

19 Les chiffres entre parenthèses renvoient aux pages de la présente édition.

20 Bien que le *whiskey* existe (c'est un whisky irlandais à base d'orge), il est fort probable que l'auteure veuille désigner ici le *whisky* (eau-de-vie de grains de seigle, d'avoine, d'orge, de maïs) qui est fabriqué dans les Îles britanniques et en Amérique du Nord. Au Canada, ce dernier *whisky* peut s'écrire *whiskey*. Voir la définition de ces termes dans Josette Rey-Debove et Alain Rey (dir.), *Nouvelle édition du Petit Robert de Paul Robert*, Paris, Dictionnaires Le Robert, 1993, p. 2424.

21 Préjugé contre les boissons alcoolisées illustré dans *Autour de l'auberge,* roman dans lequel un curé lutte férocement pour la fermeture d'une auberge, ce lieu de perdition où les gens s'enivrent; il aura gain de cause et elle sera reconvertie en maison de religieuses (voir A.C. Lisbois, *Autour d'une auberge*, Montréal, Imprimerie de la Croix, 1909, 183 p.). Préjugé contre la danse puisque, même en 1937, « dans quelques paroisses, [elle] était [...] un péché mortel » (voir Yves Thériault, *Cul de sac*, Québec, Institut littéraire du Québec, 1961, p. 49).

a-t-elle entendu dire, « était l'ennemi des Canadiens français» et ne « saurait regarder qu'avec mépris, les deux seules Canadiennes françaises qui étaient cette année-là, élèves au couvent de Chatham! » (86). S'adressant à elles en « un français absolument correct quoique teint de l'accent anglais », il leur dira : « Mes bonnes enfants, quand je reviendrai, si vous n'avez pas été de bonnes élèves, vous savez, moi, que je les déteste les Canadiens français, hé bien, je saurai être bien sévère pour vous! » (87).

Une fois pensionnaire, Ninie voit sa correspondance avec Rogers, son ami de coeur, interceptée par les religieuses. Lors des vacances d'été, elle ne peut revoir son amoureux. Même scénario les années suivantes. Puis, diplôme en poche, elle part pour Montréal et travaille dans une firme anglophone. Par hasard, en accompagnant une amie qui visite son frère au séminaire, elle aperçoit Rogers.

Bouleversée, elle quitte son travail et séjourne chez une tante, aux États-Unis où elle rencontre Harry, riche homme d'affaires qui rompt avec sa fiancée, Anita, pour la fréquenter. Ninie accepte ses invitations mais refuse finalement de l'épouser et revient travailler à Montréal. Un soir, deux malfaiteurs l'attaquent : l'un d'eux est Harry. Providentiellement, Rogers, qui est revenu à la vie laïque après son court séjour au séminaire, lui porte secours. Enfin! Ils se retrouvent et projettent de se marier. Mais Harry, l'amoureux évincé, continue à fomenter sa vengeance et il réussit à faire accuser Rogers de détournements de fonds au moment où Ninie est en visite dans sa famille, au Témiscamingue. Ne recevant pas de nouvelles de son fiancé et croyant qu'il a rompu, elle se lie avec Walter Burrage, l'un des hommes de confiance de nul autre que Monsieur Timmins, propriétaire d'une mine! Ne se résolvant pas à épouser Burrage, elle retourne à Montréal où elle apprend l'emprisonnement de Rogers. Elle met alors tout en oeuvre pour l'innocenter et y réussit.

Ils peuvent alors unir leur destinée. Après le mariage, le jeune couple s'installe à New York. Quant à Harry, après avoir fait fortune dans les mines de Porcupine et de Cobalt, il reviendra vivre aux États-Unis et demandera pardon à Rogers tout juste avant le départ de ce dernier et de Ninie pour des vacances en Europe. L'amour est vainqueur!

Ces péripéties tracent bien le portrait de Ninie : une jeune fille bilingue, pleine d'assurance, qui désire s'instruire pour s'enrichir et se hisser tout au haut de l'échelle sociale. Elle voyage seule, ne craint pas de fréquenter des Américains – alors qu'on se méfie, au Canada français, de leurs moeurs décadentes – et elle ose manifester sa sensualité en évoquant les baisers de ses *amants* alors que ce type d'allusion est rarissime dans les romans du premier quart du XXe siècle[22].

Voilà, en bref, l'intrigue *d'Amour* Vainqueur. Comme ce roman se veut autobiographique, une mise en contexte du cadre historique et géographique dans lequel vit Virginie Dussault dans les années précédant la publication permettra de mieux saisir d'une part son enracinement dans le réel et, d'autre part, de mieux mesurer sa divergence par rapport aux valeurs de l'époque.

Mise en contexte

Virginie Dussault, rappelons-le, naît à Saint-Bruno-de-Guigues en 1891 et son roman est publié en 1915. Toutefois, certaines références permettent de situer la rédaction de son roman entre 1911 et août 1914. En effet, elle fait allusion – en utilisant un temps passé – au Congrès eucharistique de 1910; elle mentionne aussi qu'il y a rumeur « d'une grande guerre qui doit ensanglanter l'Europe » (178). Toutefois, à la fin du roman, ses héros partent pour l'Europe, ce qui sous-entend que la Première Guerre mondiale n'a pas été encore déclenchée. La mention de quelques personnalités de la région dont Mgr Fallon et Mgr Latulippe de même que celle des hommes d'affaires Timmins et Gillies situent également

22 Pour montrer combien il est peu fréquent de s'embrasser *sensuellement* dans les romans, voici un commentaire que livre le romancier Harry Bernard dans une lettre du 16 novembre 1931 adressée au poète Alfred DesRochers à propos de son roman *Juana, mon aimée :* « Quant aux bons enfants de la bonne littérature pour bonnes petites filles, je crois qu'ils sont scandalisés. Pense donc, Juana s'est laissé embrasser. » Bibliothèque nationale du Québec à Montréal, Fonds Harry-Bernard, 298/045/007.

bien le cadre historique que je tenterai maintenant, succinctement, de décrire.

La réalité dont Virginie Dussault s'inspire est celle des débuts de la colonisation du Témiscamingue québécois qui démarre au milieu des années 1880. C'est d'ailleurs en 1884 qu'est fondée la *Société de colonisation du lac Témiscamingue* sous la direction des Oblats de Marie-Immaculée. Quatre ans plus tard, est érigé Saint-Bruno-de-Guigues de sorte que le village n'a que trois ans au moment de la naissance de Virginie Dussault.

Dès le début de la colonisation, des bateaux à vapeur constituent le principal moyen de transport de passagers et de marchandises entre le Témiscamingue québécois et ontarien. « Les agriculteurs utilisent également ces bateaux pour se rendre au marché d'Haileybury pour y vendre leurs produits agricoles »[23], ce qui explique que l'héroïne de Dussault fréquente un jeune homme de ce village ontarien et ses multiples allées et venues d'un village à l'autre. En 1902, le gouvernement ontarien entreprend la construction d'une voie ferrée reliant North Bay aux zones agricoles du Nord. Dès l'année suivante, cette voie ferrée atteint la région et permet une circulation des marchandises, des hommes mais aussi sans doute des idées. Voilà comment Ninie se rend de Saint-Bruno-de-Guigues dans le Témiscamingue québécois à Chatham dans le sud de l'Ontario.

Lors du recensement de 1911, on dénombre 1 624 habitants à Guigues et cette population sera en décroissance constante jusqu'au début des années 1940. Au niveau économique, c'est l'agriculture, la forêt et les mines qui font vivre surtout la population. Selon Riopel, à Guigues même, il y eut une mine qui connut une brève existence[24]. Point étonnant donc que, dans *Amour Vainqueur*, le secteur des mines soit mis en valeur parce qu'il est synonyme d'enrichissement rapide. Aussi Dussault mentionne le nom de Timmins, et ce faisant,

23 Marc Riopel, *Le Témiscamingue. Son histoire et ses habitants*, Montréal, Fides, 2002, p. 121.

24 *Ibid.*, p. 171.

elle enracine encore davantage son roman dans un cadre historique réel puisque Henri et Noah Timmins ont oeuvré dans le secteur minier dès la fin du XIXe siècle, pour connaître finalement la richesse dans les mines d'argent de Cobalt, tout près de Guigues, à partir de 1904[25]. Alors adolescente à Guigues, Virginie Dussault a sans doute été un témoin admiratif des fortunes colossales accumulées non loin de chez elle.

Il ne faut pas s'étonner non plus que l'auteure fasse allusion à la question scolaire. Rappelons qu'au moment de la publication du roman, le Canada français traverse la crise scolaire consécutive à l'adoption du Règlement XVII qui entre en vigueur en 1913 et dont le but est de restreindre l'enseignement du français dans les écoles françaises de l'Ontario. Ce Règlement a soulevé un tollé de protestations parmi les Canadiens français de tout le pays. Mgr Latulipe, vicaire apostolique de Haileybury, mène la bataille contre ce Règlement. À l'encontre de ce mouvement de défense de l'enseignement en français, le personnage de Dussault *choisira* de s'instruire dans un couvent anglophone, s'inscrivant ainsi résolument en opposition au mouvement unanime de protestation des Canadiens français. D'ailleurs Dussault n'ignore pas ce conflit puisque, en racontant la rencontre entre Ninie et Mgr Fallon, elle décrit bien ce dernier comme étant un ennemi juré des Canadiens français. Tout cela montre bien sa volonté de se dissocier des valeurs canadiennes-françaises.

Cette brève mise en contexte permet de mieux mettre en relief l'originalité, les divergences et le caractère subversif du roman de Dussault : elle délaisse le milieu agricole pour celui des affaires; elle privilégie le secteur minier alors que la majorité des romanciers décrivent plutôt le secteur agricole ou forestier; elle étudie en anglais alors que les Canadiens français livrent une bataille sans merci au Règlement XVII. Même si elle naît dans une région peu peuplée et très éloignée des grands centres, le lecteur ne sent pas, dans ce roman, le poids de cet isolement. En ce sens, il est – et c'est ce que je m'attarderai à démontrer maintenant – aux antipodes de *Maria Chapdelaine* et de la

25 Puis quelques années plus tard dans les mines d'or de Porcupine, mieux connues aujourd'hui sous le nom de Timmins.

plupart des autres romans publiés, grosso modo, dans le premier quart du XXe siècle.

Une auteure subversive?

Le portrait de la société véhiculée dans l'unique roman de Virginie Dussault se situe aux antipodes des idées prônées dans la majorité des autres oeuvres romanesques de l'époque au Canada français. Dussault m'apparaît être ainsi le pendant féminin de romanciers marginaux tels Albert Laberge (*La Scouine*, 1918) et Arsène Bessette (*Le débutant*, 1914). Pourtant, si ces deux romanciers ont eu maille à partir avec le clergé qui voua les oeuvres et leur auteur au pilori[26] – ce qui leur a assuré une certaine pérennité –, le roman de Dussault passe inaperçu; il faut dire que, ayant peu habité à Montréal, elle ne faisait pas partie du cercle littéraire et, ainsi, ne bénéficiait sûrement pas des appuis indispensables à la promotion de son roman. Faut-il voir un lien entre son départ pour l'Ouest canadien, « sans doute à la demande du clergé »[27], et la publication de son roman? Se serait-elle ainsi soustraite aux réactions suscitées par la parution de son roman? Chose certaine, ce roman aurait dû faire l'objet de fortes réprimandes et c'est d'ailleurs la raison pour laquelle il semble intéressant d'en relever les éléments discordants.

Je tenterai de mettre en évidence les valeurs divergentes du roman de Dussault par une comparaison avec celles véhiculées dans d'autres romans publiés dans les mêmes années et qui, pour des raisons différentes (rôle de la femme,

26 Les deux romans furent mis à l'index. Albert Laberge trace un portrait peu reluisant du milieu agricole dans *La Scouine* (Montréal, Édition privée, Imprimerie modèle, 1918, 134 p.) alors que *Le débutant* (Saint-Jean, Compagnie de publication « Le Canada français », 1914, 257 p.) d'Arsène Bessette décrit des moeurs urbaines peu conformes à la morale catholique. De plus, dès la sortie du roman, Arsène Bessette perdit son emploi de journaliste. Même quelque deux décennies plus tard, Jean-Charles Harvey se vit exclure du *Soleil* à la parution des *Demi-civilisés* en 1934 et fut confiné à un emploi au Bureau des statistiques du Québec. Antérieurement, soit en 1904, *Marie Calumet* de Rodolphe Girard avait également été condamné par l'archevêque de Montréal.

27 *Regarde, j'ai tant à te dire...* p. 287.

importance de la terre, crainte des États-Unis, éducation, assimilation, etc.), montrent bien la marginalité de l'oeuvre de Virginie Dussault. Il s'agit de *Maria Chapdelaine* (1916)[28] de Louis Hémon, oeuvre phare de la littérature canadienne-française et *Restons chez nous* (1908)[29] de Damase Potvin qui s'inscrivent bien dans le courant littéraire du terroir ainsi que *L'Ineffaçable souillure* (1926)[30] d'Arsène Goyette et *L'Appel de la race* (1922)[31] de Lionel Groulx, romans à thèse qui veulent démontrer les conséquences néfastes d'une éducation en langue anglaise et de l'assimilation linguistique.

Maria Chapdelaine de Louis Hémon (1916)[32]

Tout comme dans *Amour vainqueur*, le personnage principal de *Maria Chapdelaine* est une femme – ce qui est assez peu fréquent dans les romans de cette décennie – qui vit dans un milieu agricole isolé : Saint-Bruno-de-Guigues au Témiscamingue dans le premier cas et Péribonka au Lac-Saint-Jean dans le second. Là s'arrêtent les similitudes.

Dès le début d'*Amour Vainqueur*, la jeune Ninie manifeste clairement son désir de s'instruire et de faire de l'argent :

> Maman, ajouta la jeune enfant, avec beaucoup d'assurance, comme si une inspiration soudaine avait jeté dans son coeur, une décision définitive [...]. Je veux,

28 Louis Hémon, *Maria Chapdelaine*, Montréal, Fides, (1916) 1970, 215 p. Le roman parut d'abord en France, en feuilleton, dans le *Temps*, en 1914. Les chiffres entre parenthèses renvoient à cette édition.

29 Damase Potvin, *Restons chez nous!*, Québec, J.-Alfred, Guay, 1908, 243 p. Les chiffres entre parenthèses renvoient à cette édition.

30 Arsène Goyette, *L'Ineffaçable souillure*, Sherbrooke, Imprimerie de La Tribune, 1926, 259 p. Les chiffres entre parenthèses renvoient à cette édition.

31 Lionel Groulx (publié sous le pseudonyme d'Alonié de Lestres), *L'Appel de la race*, [Montréal, Bibliothèque de l'Action française, 1922, 278 p.], Montréal, Fides, 1980. Les chiffres entre parenthèses renvoient à cette édition.

32 Pour une analyse approfondie mais synthétique de ce roman ainsi que pour une bibliographie exhaustive, voir Nicole Deschamps, « Maria Chapdelaine » dans Maurice Lemire (dir.) *DOLQ, tome II, 1900–1939*, 2e édition, Montréal, Fides, 1980, 663–673.

> dit-elle à sa mère, je veux aller loin, loin, bien loin, comme papa, pour gagner beaucoup d'argent, acquérir des connaissances; je veux me faire instruire [...]. (54)

Or, ces ambitions ne caractérisent ni Maria Chapdelaine ni sa mère Laura qui ne manifestent à aucun moment le désir d'acquérir des connaissances; leur ambition se définit davantage par rapport à la terre et à la famille[33]. La volonté de s'instruire du personnage de Dussault s'appuie sur l'affirmation d'une intelligence vive ignorée des personnages féminins de *Maria Chapdelaine*. Dès le début d'*Amour Vainqueur*, au moment de définir son personnage, la narratrice mentionne à maintes reprises, l'intelligence de Ninie :

> Ninie, à ses dix ans, était tendre et affectueuse; douée d'une intelligence brillante [...] (59)
> [...] et par les beaux buts qu'il propose à l'intelligence, ... (63)
> Ses seize ans inondaient sa figure intelligente de joie et de sourires. (63)
> [...] son regard vif et intelligent, ... (64)
> [...] son intelligence pratique et... (64).

Les qualités conférées à Ninie dessinent une femme à l'esprit pratique, énergique, imaginative. En outre, de grandes ambitions, axées sur l'instruction, sur le prestige de détenir une position élevée dans la hiérarchie sociale et sur l'accumulation de richesses, l'animent. Pour atteindre ses objectifs, elle est « désireuse de marcher dans la voie du progrès, vers l'inconnu, vers la fortune, vers l'instruction! » (64). Elle n'hésite pas à abandonner ses parents, son amoureux et son village pour s'instruire et pour travailler dans la grande ville. Rien de tout cela chez Maria Chapdelaine qui, en refusant d'épouser Lorenzo Surprenant, renonce par le fait même au progrès, à l'inconnu, au plaisir, à l'aisance de la vie américaine. Voyons d'ailleurs comment son prétendant lui présente les avantages de la vie aux États-Unis :

33 Il en est de même de Jeanne dans *Restons chez nous*. Quant aux mères de *L'Ineffaçable souillure* et de *L'Appel de la race*, elles ne peuvent entrer dans cette logique des personnages féminins canadiens-français puisqu'elles sont anglophones.

> Oh! Maria, vous ne pouvez pas vous imaginer. Les magasins de Roberval, la grand'messe, une veillée dramatique dans un couvent; voilà tout ce que vous avez vu de plus beau encore. Eh bien, toutes ces choses-là, les gens qui ont habité les villes ne feraient qu'en rire. Vous ne pouvez pas vous imaginer... Rien qu'à vous promener sur les trottoirs des grandes rues, un soir, quand la journée de travail est finie, – pas des petits trottoirs de planches comme à Roberval, mais de beaux trottoirs d'asphalte plats comme une table et larges comme une salle –, rien qu'à vous promener de même, avec les lumières, les chars électriques qui passent tout le temps, les magasins, le monde, vous verriez de quoi vous étonner pour des semaines. Et tous les plaisirs qu'on peut avoir; le théâtre, les cirques, les gazettes avec des images, et dans toutes les rues des places où l'on peut entrer pour un nickel, cinq cents, et rester deux heures à pleurer et à rire. Oh! Maria! Penser que vous ne savez même pas ce que c'est que les vues animées![34]

L'attitude de Marie et de Ninie face à l'amour diffère diamétralement. Lorsque Maria apprend la mort de celui qu'elle aime, elle ne manifeste aucune révolte. Malgré son chagrin, elle se tourne vers l'avenir, un avenir qui ne lui présente qu'une alternative : Eutrope Gagnon ou Lorenzo Surprenant. L'un représente la continuité, la fidélité aux ancêtres. L'autre, l'exode, la trahison. Chose certaine, le destin de Maria repose entre les mains des hommes. Ninie réagit bien autrement : elle intervient activement et ne laisse pas le destin lui tracer sa voie. Si elle quitte son village pour poursuivre des études à Chatham et ce, en dépit d'une déclaration d'amour formelle, c'est qu'elle veut que sa vie lui appartienne d'abord. Elle cherche un épanouissement personnel totalement absent chez Maria qui veut le trouver par le biais de l'amour et de la vie de famille[35]. Qui plus est, Ninie manifeste, envers son amoureux, une indépendance peu commune, n'intervenant aucunement dans sa décision d'entrer au collège, car elle ne veut pas « être tenue responsable de sa décision » (75). Dès qu'elle

34 Louis Hémon, *Maria Chapdelaine*, Montréal, Fides, 1970, 154–155.

35 Tout comme la Jeanne de *Restons chez nous* d'ailleurs.

croit que son ami l'a quittée, elle ne s'enlise pas dans la peine mais envisage un voyage et s'engage dans d'autres relations.

Les célèbres voix indiquent à Maria qu'elle doit suivre le chemin tracé par les ancêtres. C'est ainsi qu'elle accepte d'épouser Eutrope Gagnon. Ces notions de devoir et de sacrifice, à la fois moral et patriotique, n'entrent pas du tout dans la mentalité de Ninie. Sans vergogne, sans souci pour sa *race*, elle choisit d'étudier en anglais, car c'est le meilleur moyen de s'assurer un travail rémunérateur; elle quitte son village agricole natal pour Chatham, puis pour Montréal, puis pour les États-Unis. Jamais l'ombre de la trahison ne surgit dans ces choix pour le moins subversifs. Alors que Maria subit son destin, Ninie le forge, le définit, le trace. Pour Ninie, le bonheur passe d'abord par l'épanouissement individuel; celui-ci est nécessaire à une vie de couple harmonieuse. La quête du bonheur et de l'individualisme est totalement absente de la pensée de Maria qui aspire plutôt à une certaine sérénité qu'elle n'atteindra qu'en étant fidèle à sa famille, sa collectivité et sa *race*.

Dans *Maria Chapdelaine*, le devoir occulte totalement le plaisir charnel qui n'est vu que dans un but : la continuité de la lignée. Dans *Amour vainqueur*, Ninie semble plus volage. Son amoureux s'est-il soustrait à ses avances, comme elle le pense, elle n'attend guère pour fréquenter Harry ou, plus tard, Walter : « elle aima, comme toute jeune fille, plus d'un, et quelquefois plus d'un, à la fois » (64) à qui elle ne refuse pas ses « premiers baisers » (64). Elle sort même avec des hommes uniquement dans le but de se distraire.

Pour Ninie, le bonheur passe surtout par l'argent. Si elle veut s'instruire et le faire en anglais, si elle quitte le milieu agricole pour la ville, c'est qu'elle est convaincue que cela lui assurera la possibilité de gagner plus d'argent. Comme son père, elle veut partir pour revenir avec des « écus [...] pour satisfaire son désir de se créer une position enviable... » (61). De même, il importe à Ninie que les hommes aimés soient riches, qu'ils aient un « avenir des plus enviables, tant du côté de l'honneur, de la position sociale de leurs parents que du côté de leur savoir-vivre » 64). La langue et la nationalité, critères premiers pour Maria, cèdent ici le pas à la richesse; d'ailleurs, après son mariage avec Rogers, elle s'installera avec lui aux États-Unis et y deviendra riche[36]. On est vraiment loin de Maria Chapdelaine qui refuse la vie riche et facile que lui offre Lorenzo Surprenant parce qu'il vit en ville, aux États-Unis, et qui préférera épouser Eutrope Gagnon par fidélité à sa langue, à sa nationalité et à sa tradition familiale.

De tout cela se dégage le fait que Ninie vit dans le présent et en fonction de son avenir qu'elle veut avant tout heureux, avec un homme qu'elle aime et qui dispose d'un bon revenu. Convaincue qu'elle n'est pas née *pour un petit pain,* elle provoque les événements pour atteindre son but, celui de combler ses besoins et d'atteindre un idéal strictement personnels. Tout au contraire, Maria vit dans un présent tourné vers les valeurs du passé comme la plupart des héroïnes romanesques de cette période. Elle réagit aux événements en prenant des décisions qui reposent sur un idéal collectif et patriotique et non individuel.

Restons chez nous de Damase Potvin (1908)[37]

Si *Maria Chapdelaine* a survécu au temps et est considéré comme un classique de la littérature canadienne-française – bien que ce roman ait été écrit par un Français qui a peu vécu au Canada et est mort à Chapleau, en Ontario –, *Restons chez nous* se rapproche davantage d'*Amour vainqueur* en ce qu'il constitue une oeuvre mineure aujourd'hui oubliée du grand public. Écrits à sept ans d'intervalle, l'un en 1915 et l'autre en 1908, ils présentent des personnages féminins assez différents. En outre, le roman de Potvin, contrairement à celui de

36 Il est d'ailleurs révélateur qu'elle termine son roman par une photo de l'Édifice Birks, – bijouterie anglophone de l'ouest de Montréal –, symbole de prestige et de richesse. Comme cette bijouterie n'est mentionnée à aucun moment dans le roman, il semble que le seul but de cette photographie soit de connoter le luxe et la richesse.

37 Pour une analyse approfondie mais synthétique de ce roman ainsi que pour une bibliographie exhaustive, voir Maurice Lemire, « Restons chez nous », dans Maurice Lemire (dir.), *DOLQ, tome II, 1900–1939,* Montréal, Fides, 1980, 958–963.

Dussault, constitue un bon exemple d'un roman du terroir et de son idéologie.

Le personnage principal, Paul, est le dernier fils vivant de Jacques Pelletier et de sa femme qui résident sur une ferme dans la baie des Ha Ha, au Saguenay. Bien que fiancé à Jeanne, Paul décide de quitter la ferme pour aller travailler aux États-Unis. Il compte en revenir riche pour épouser sa Jeanne. À New York, il s'engage comme débardeur, travail où il peine beaucoup tout en gagnant peu. Il décide donc, au bout d'un an et demi de s'embarquer sur un navire pour l'Europe. Ne réussissant pas à s'y trouver un emploi rémunérateur, il tente de revenir à New York mais il attrape, sur le bateau, une typhoïde à laquelle il succombera.

Les divergences entre *Amour vainqueur* et *Restons chez nous* sautent aux yeux. La plus flagrante demeure, sans nul doute, le dénouement tragique du roman de Potvin où le héros meurt d'avoir voulu quitter son pays, sa terre natale, pour s'exiler aux États-Unis et y devenir riche. Exil perçu comme une trahison. Ambition de richesse non compatible avec l'esprit d'abnégation prescrit par la religion. Paul paiera de sa vie sa *faute*.

À la dénonciation véhémente de l'exode vers les États-Unis et de tout ce qu'il a fait perdre aux Canadiens français, l'auteur joint un réquisitoire contre le progrès – « ...et ce progrès, vers lequel tu aspires, est-il vraiment un bien? » (48) –, les villes et les manufactures. Pour inciter les jeunes à demeurer sur la terre, le seul lieu de bonheur paisible et durable, il fait l'apologie du travail de la terre. Toutes ces idées se trouvent admirablement bien illustrées dans le passage suivant :

> Vivre aux États-Unis! que ce doit être bon!... Oui, que ce doit être bon de passer des jours entiers dans une manufacture enfumée et empestée plutôt que d'être maître dans un champ embaumé par la grande nature du bon Dieu; que ce doit être bon de sentir quelques pièces blanches dans son gousset et n'avoir pas le temps ou la liberté de les dépenser avec profit et plaisir, plutôt que de jouir de la vraie liberté des fils de la terre

> et n'avoir dans sa bourse que juste ce qu'il faut pour ne pas nous donner la fièvre de plaisirs insaisissables; que ce doit être bon d'être l'esclave soumis d'un maître sans coeur plutôt qu'honorable cultivateur dans une de nos belles paroisses... (81).

Le regard posé par Ninie sur les États-Unis et sur la ville diffère totalement. Lorsqu'elle emprunte la rue Sherbrooke, à Montréal, elle ne cesse « d'admirer et de contempler ces magnifiques constructions, ces grands parterres remplis de bouquets et de frais gazon » ainsi que les « riches carrosses portant ces êtres, à la figure heureuse et ne respirant que joie et bonheur » (98). De plus, elle décrit son bonheur à séjourner dans quelques villes américaines. La narratrice évoque ainsi son séjour chez sa tante, aux États-Unis :

> Cette dame lui fit voir plusieurs villes des États-Unis que la jeune fille aimait à connaître; elle aima les États-Unis, le climat tempéré lui allait bien! Elle aimait le genre de vie de ces villes, comme Boston et New York, où tout le monde marche à son but, ne s'occupant que de ses affaires, sans se préoccuper le moins du monde, de la conduite de ceux qui les entourent (131).

De ses vacances chez nos voisins du sud, elle retient avant tout le genre de vie active et anonyme où l'on peut s'adonner sans répression à diverses formes d'amusement[38]. Si elle profite des divertissements que lui offrent les villes américaines, elle se sent également bien à Montréal où elle détient une « position rémunératrice, [qui] la mettait en contact avec beaucoup d'hommes d'affaires » (128), ce qui est loin de lui déplaire.

---

38 Peut-être, au nombre de ces amusements, pense-t-elle au cinéma qui, en 1915, au Québec est l'objet d'un fort discrédit. Le vocabulaire utilisé par le clergé, pour le décrire, est éloquent et se passe de plus amples commentaires : le cinéma, c'est « l'antichambre des maisons de prostitutions », une « école d'erreurs, de vices, de révolution », un lieu où toutes « les concupiscences trouvent leur pâture », une « lèpre dont il faut arrêter le progrès ». Voir Jean Hamelin et Nicole Gagnon, *Histoire du catholicisme québécois. Le XXe siècle*, 1898–1940, Montréal, Boréal, 1988, p. 318.

Le titre du roman de Potvin, *Restons chez nous,* est d'ailleurs on ne peut plus clair. Mieux vaut être pauvre sur une terre dans son pays que riche, dans une ville, à l'étranger. La vision de Dussault se démarque totalement de cette position traditionnelle. Ninie perçoit la ville fort différemment. Bien qu'elle soit consciente qu'il y ait du mal, elle met aussi l'accent sur le fait que

> celui qui y séjourne pendant plusieurs années, peut se rendre compte de la multitude innombrable de bonnes âmes qui vivent au contact journalier de gens corrompus! Celui qui est dans les affaires ou employé dans l'exercice des Saints Ministères de la Religion, peut constater toute la sublimité des vertus pratiquées d'une manière cachée, dans l'humilité et la modestie, non seulement dans les communautés, mais aussi dans toutes les classes de la société! (130).

La ville ne constitue pas, pour elle, un lieu de perdition. Elle se rend compte de « tout le bien qui se [fait] à Montréal » (130) et fréquente des « gens qui lui [procurent] de saines distractions » (130).

Compte tenu du fait que le roman de Potvin constitue une remarquable illustration des romans du terroir – les seuls vraiment acceptés par le clergé et diffusés sans restriction dans le grand public –, il paraît justifié de considérer celui de Dussault comme déviant puisqu'il s'affiche radicalement en opposition à ces jugements contre l'américanisation et l'urbanisation. De plus, non seulement se rend-elle aux États-Unis à plusieurs reprises, où une de ses tantes réside, sans que cela soit vilipendé, mais elle y émigrera. Qui plus est, elle y deviendra riche et sera heureuse comme en témoigne cette citation, au dernier chapitre du roman :

> – Nous sommes, lui dit-elle, nous sommes très heureux; nous vivons richement; nous demeurons à New York. Mon époux Rogers a réussi dans toutes ses spéculations depuis bientôt près de trois ans que nous habitons cette ville. Il est très riche maintenant (223–224).

La fierté du personnage de vivre dans une grande ville, aux États-Unis, et d'être riche, se manifeste par la répétition de ces informations. Même son ennemi, avec qui elle se réconcilie, reviendra de « Porcupine et de Cobalt, où sans y avoir amassé une fortune, y a acquis beaucoup d'argent » (224). Ninie a appris, lors d'une excursion à Porcupine, que Harry Mitchell avait bien réussi ses spéculations dans les mines du lieu. Spéculation, richesse : deux mots aux antipodes des valeurs exprimées dans le roman de Potvin.

Faire fortune dans les mines du Nord ontarien! Harry Mitchell est, à notre connaissance, le seul personnage des romans de cette décennie qui ait réussi à accumuler une certaine richesse par la spéculation minière dans cette région. Cette singularité interpelle et suggère une interprétation selon laquelle les idées de Dussault seraient la conséquence de ses contacts avec le Nouvel-Ontario où les Canadiens français minoritaires sont confrontés à des valeurs et à une économie différentes. C'est peut-être la raison pour laquelle le personnage de Dussault ne craint ni l'émigration ni la perte de sa langue dans le but avoué de s'associer au monde des affaires pour devenir riche. L'occultation totale du discours sur la langue et la religion dans *Amour vainqueur* sera mieux mis en relief par la comparaison avec un autre roman, publié quelque dix ans plus tard.

L'Ineffaçable souillure d'Arsène Goyette (1926)[39]

Marié à une anglophone, le juge Madore a fait éduquer son aînée, Ruth, à l'anglaise, dans un établissement neutre, alors que la cadette l'a été dans une institution catholique et française. Devenue jeune femme, Ruth se fiance à Kenneth, le fils d'un francophone qui a été, lui aussi, éduqué en anglais. Kenneth, qui est notaire, fraude ses clients en utilisant l'argent des placements pour les investir dans des actions. Comme il perd tout, il convainc Ruth de lui prêter ses 25 000 $ de dot. Son père l'apprend et exige de sa fille qu'elle lui montre ses comptes bancaires. Ruth s'évanouit et fait une dépression nerveuse causée, selon l'auteur, par sa mauvaise éducation qui l'a rendue fragile. Kenneth s'embourbe dans les dettes et, ayant tenté de tuer quelqu'un, est emprisonné. Par contre, la seconde fille de

39 Pour un compte rendu critique de ce roman et une bibliographie, voir Gilles Légaré, « L'Ineffaçable souillure », dans Maurice Lemire (dir.), *DOLQ, tome II, 1900–1939*, Montréal, Fides, 1980, p. 591.

Madore, Gratia, qui a reçu une bonne éducation, est parfaite. Elle rejette les avances d'un certain docteur Bert, car il est anglophone et vit en Ontario. Elle s'éprend de Marc Fontaine, un jeune avocat qu'elle rencontre alors qu'il plaide la cause de Kenneth. Pendant le procès, Ruth se rend dans un couvent, à Sherbrooke, pour retrouver la paix et se demande si elle doit se marier ou devenir religieuse. Kenneth écope de trois ans de prison. Gratia et Marc se marient. La souillure, celle de l'éducation à l'anglaise, est ineffaçable.

Il est primordial de noter que, dans ce roman, l'argent, la spéculation et la fraude financière sont le fief de Kenneth, éduqué en langue anglaise. Gratia, instruite en langue française, ne manifeste au contraire aucune avidité face à l'argent et est davantage préoccupée par les valeurs humaines, décrites par le narrateur comme étant plus nobles. Or, l'héroïne de Dussault partage ce désir de devenir riche et d'amasser beaucoup d'argent, s'alignant ainsi davantage sur les valeurs manifestées par le personnage anglophone. Pour Ninie,

> [a]voir de l'argent, c'est commander la considération! Avoir beaucoup d'argent, c'est pouvoir se dispenser de la considération! Avoir encore beaucoup plus d'argent, c'est pouvoir commander et acheter toutes ou à peu près, toutes les autorités! Aussi, convaincue que tout, dans le monde, n'a pour base que l'argent, elle n'attache d'abord de prix, qu'à ce qui pouvait lui rapporter des bénéfices (129).

Ce qu'elle remarque, dès son arrivée à Montréal, c'est la spéculation qui se faisait dans les entreprises, les « religions intéressées, [les] prêtres corrompus même quelquefois! » (129). Oser mentionner la corruption parmi le clergé, quelle audace!

Le contraste entre *L'Ineffaçable souillure* et *Amour vainqueur* ressort nettement dans le traitement de l'éducation. En effet, Ninie choisit d'étudier au couvent de Chatham (Ontario) car elle veut y apprendre l'anglais, « prendre de bonnes manières, acquérir une bonne éducation au contact de ces élèves, filles pour la plupart, du grand monde, et sous la direction de ces institutrices, dames qui tiennent au premier rang de leur enseignement une éducation soignée et un savoir-vivre distingué » (83). Condescendance à peine voilée à l'égard de l'éducation qu'elle aurait reçue en milieu canadien-français. Seul le couvent de Chatham fait « miroiter à ses yeux [un] avenir brillant » (85) qui répond à son ambition de devenir riche. En dépit de ce choix qui constituerait aux yeux de Goyette une *ineffaçable souillure,* Ninie, contrairement à Kenneth et à Ruth, ne sera pas pénalisée puisqu'elle sera comblée autant dans sa vie amoureuse que sociale et financière.

L'Appel de la race de Lionel Groulx (1922)[40]

Terminons avec un rapide regard sur le premier roman de Lionel Groulx publié sous le pseudonyme d'Alonié de Lestres. Le récit met en scène Jules de Lantagnac, un brillant avocat qui, marié à une anglophone convertie, a accepté que ses quatre enfants soient élevés en anglais. D'ailleurs, lui-même a adopté cette langue. Toute la famille vit à Ottawa. Quand il atteint la quarantaine, il confie au père Fabien son désir d'entrer en politique. Ce dernier voit en lui le futur chef de la minorité franco-ontarienne. Mais pour cela, il doit réapprendre sa langue maternelle. En mettant en branle ce processus de refrancisation, Lantagnac renoue avec sa famille et sa race. Élu député, il prononce un discours en faveur de l'abolition du Règlement XVII, discours qui lui vaut les représailles de sa femme qui le quitte avec deux de ses enfants alors qu'un troisième entre en religion. Seul Wolfred suivra son père en s'inscrivant à l'Université de Montréal et en changeant son nom pour celui d'André.

Tout comme la Ninie d'*Amour vainqueur*, Lantagnac croit d'abord que la réussite passe par la maîtrise de la langue anglaise : « En peu de temps il se convainquit que la supériorité résidait du côté de la richesse et du nombre » (21). Pour lui, ce fut McGill ; pour elle, le couvent de Chatham. Cependant, la situation initiale du roman de Groulx présente un Lantagnac qui a atteint la renommée et l'aisance qu'il

40 Alonié de Lestres, *L'Appel de la race*, Montréal, Librairie Granger frères, (1922) 1948, 251 p. Pour un compte rendu critique de ce roman, voir Maurice Lemire, « L'Appel de la race », dans Maurice Lemire (dir.), *DOLQ, tome II, 1900–1939*, Montréal, Fides, 1980, 51–58.

convoitait depuis sa jeunesse, alors qu'au début du roman de Dussault, Ninie, encore jeune, se situe encore au niveau du désir d'accéder à la richesse et à la réussite. Lantagnac vit depuis plus de vingt ans à Ottawa où il a élevé sa famille en anglais. À la fin du roman, Ninie suivra ses traces en s'installant à New York avec son mari et il y a fort à parier que ses enfants s'angliciseront rapidement.

C'est dans l'évolution des personnages que se construit leur opposition. En effet, si dans sa jeunesse, Lantagnac ne semble avoir manifesté aucune réticence à s'angliciser, dès le début de *L'Appel de la race,* alors qu'il a atteint la quarantaine, il remet en question ses choix antérieurs. Et tout le roman relate la résurgence, en lui, de sentiments patriotiques telle la fidélité aux ancêtres et à la langue. Dans *Amour vainqueur*, Ninie ne vivra pas cette transformation. En effet, Dussault termine son roman alors que son héroïne, à peine âgée de vingt-quatre ans, émigre aux États-Unis. Aurait-elle emprunté les traces de Lantagnac si Dussault l'eût décrite quelque vingt ans plus tard?

* * *

Malgré ses piètres qualités littéraires, le récit de Dussault mérite qu'on s'y attarde parce qu'il témoigne de l'existence, dans les romans du premier quart du XXe siècle, d'idées qui se démarquent nettement de l'idéologie de conservation laquelle – il est bon de le rappeler –, détermine même la façon de traiter les sujets dans les romans. Ainsi, il convenait que

> le père [l'emporte] toujours sur le fils, la tradition sur la nouveauté, la campagne sur la ville, la religion sur l'impiété. La soumission, l'esprit de sacrifice et de renoncement devaient apparaître comme les fondements d'un bonheur axé uniquement sur l'abandon à la volonté divine[41].

Dans le but de former une culture nationale, l'élite canadienne-française, dominée par le clergé, tente d'effacer toutes les manifestations des pensées divergentes. Selon Gérard Bouchard, jusqu'à la fin de la crise des années 1930, « les dissidences exprimées [...] par rapport aux prémisses de la culture

41 Maurice Lemire, «Introduction», *DOLQ*, tome II, p. XX.

bourgeoise traditionnelle étaient plutôt marginales »[42]. D'ailleurs, un des critiques les plus en vue de l'époque, Victor Barbeau, se donne pour but d'« amener [les groupes ignorants] à développer des goûts identiques à ceux de l'élite, les seuls reconnus comme légitimes par la société bourgeoise »[43].

Par opposition à tout le courant nationaliste qui se bat pour freiner l'émigration vers les États-Unis en encourageant la méfiance envers les étrangers, qui prône le retour à la terre en condamnant la ville, ses amusements, ses progrès, et tout cela dans le but ultime de sauvegarder notre race catholique et française, Virginie Dussault construit un personnage dont la vie, ancrée dans le présent (et non tournée vers un passé glorieux), fait fi des peurs, des interdictions et des contraintes. En effet, non seulement s'installe-t-elle aux États-Unis mais dans la plus grande de ses villes, New York, la capitale économique de l'Amérique. Vraiment, on ne peut mieux affirmer son non-conformisme.

D'autres ont déjà fait ressortir la présence de romans marginaux telles les oeuvres de Bessette et de Harvey. Que dire de Laberge dont *La Scouine*, encore en 1969, se vendait clandestinement[44]! Le roman de Virginie Dussault se situe dans cette veine contestataire. Peut-être, d'une part, parce qu'elle a vécu en périphérie et qu'elle ne fait partie ni de l'intelligentsia ni du milieu littéraire des grandes villes du Canada français, Dussault semble moins sous l'emprise de l'idéologie dominante. D'autre part, il est aussi possible de croire que ses contacts avec l'Ontario – majoritairement anglophone –, dont le système de valeurs diffère de celui du Canada français, aient contribué à construire chez elle une culture qui ne s'alimente pas exclusivement à celle imposée par l'élite canadienne-française. Son

42 Gérard Bouchard (dir.), *La construction d'une culture*, Québec, Presses de l'Université Laval, 1993, p. 24, cité dans Michèle Martin, *Victor Barbeau, pionnier de la critique culturelle journalistique*, Sainte-Foy, Presses de l'Université Laval, 1997, p. 2.

43 *Ibid.*, p. 5.

44 Alors étudiante au baccalauréat en études françaises à l'Université de Montréal, c'est ainsi que je me suis procuré ce roman dans une librairie qui l'avait édité clandestinement; non étalé sur les rayons, il fallait le demander au comptoir en mentionnant qu'on étudiait à la faculté des lettres.

intérêt marqué pour l'anglais afin de travailler dans le monde des affaires, son ouverture au progrès, son goût pour la modernité, sa vision positive des États-Unis et son désir maintes fois exprimé de devenir riche s'inscrivent mal dans le discours nationaliste d'un Lionel Groulx, par exemple. Point étonnant alors que son roman exprime des idées perçues comme subversives par rapport au courant conservateur et qu'il n'ait eu aucun retentissement auprès du public et de la critique.

Sans doute, Dussault n'est pas consciente de créer un personnage féminin que l'on peut presque qualifier de féministe. Pas plus qu'elle n'est consciente de publier une œuvre contestataire. Bien simplement, elle campe un personnage qui lui ressemble et témoigne ainsi de l'existence, au Canada français du début du XXe siècle, d'une mentalité qui déroge de l'idéologie imposée par l'élite cléricale et intellectuelle.

L'historiographie a longtemps présenté le Canada français du début du XXe siècle en mettant l'accent uniquement sur les idées et la culture des élites cléricale et intellectuelle qui « avaient élaboré une représentation de la société correspondant davantage à leurs aspirations qu'à la réalité »[45]. La société était dépeinte comme homogène et tout le peuple semblait adhérer à leur idéologie à laquelle la Révolution tranquille des années 1970 aurait mis fin de façon brusque et rapide. Or, depuis un peu plus de vingt ans, les historiens cherchent à découvrir des signes précurseurs de cette révolution et « à retrouver dans le passé des individus ou des groupes [...] définis comme "progressistes" »[46].

Selon moi, Virginie Dussault fait partie de ce groupe et c'est la raison pour laquelle *Amour vainqueur* mérite une réédition car ce roman témoigne de valeurs se rapprochant davantage de la réalité du vécu quotidien d'un bon nombre de Canadiens français que celles des romans qui dépeignent une réalité souvent artificielle s'alignant sur le respect des prescriptions du clergé et de l'élite intellectuelle.

45 Catherine Pomeyrols, *Les intellectuels québécois : formation et engagements*, Paris et Montréal, L'Harmattan, 1996, p. 38

46 *Ibid.*, p. 39.

NOTES SUR L'ÉTABLISSEMENT DU TEXTE

Plutôt que de respecter intégralement la version originale du texte, j'ai pris quelques libertés concernant principalement la ponctuation mais aussi la syntaxe et l'orthographe tout en me limitant au strict minimum.

Mes principales interventions se situent sur le plan de la ponctuation. Ainsi, l'auteure abuse du point-virgule. Parfois, de longs paragraphes ne comptent aucun point; les segments n'étant séparés que par des points-virgules, plusieurs idées se juxtaposent et rendent la lecture ardue. C'est la raison pour laquelle j'ai remplacé le point-virgule par des points terminaux particulièrement quand l'auteure abordait une nouvelle idée ou quand la phrase devenait difficile à comprendre. Par exemple dans le chapitre VII, « Vacances de Ninie », le texte original se lit comme suit :

> *Ninie reçut ce jeune homme, avec le sourire sur les lèvres, car elle devina tout de suite, que M. Burrage qui était l'ami intime de Rogers avait dû apprendre qu'il avait décidé de briser ses amours avec elle; la jeune fille était obligée tout de même d'étouffer dans son cœur, le chagrin qu'elle ressentait à la pensée de recommencer de nouvelles amitiés! d'oublier tant d'heures agréables, de fermer les yeux à jamais sur toutes les premières scènes d'amour! elle se sentait indifférente à la mort, parfois même l'aurait désirée et appelée, si elle eut cru ne pas blesser sa conscience, tant elle éprouvait de la répugnance à vivre sans amours! ce M. Burrage lui apparaissait doué de qualités; mais plus elle causait avec lui, plus elle était portée à faire la comparaison avec son ami; elle ne se sentait aucun attrait, aucun penchant pour M. Burrage; elle l'estimait beaucoup; mais bien qu'il renouvela ses visites, il ne put capter son amour; peut-être, se disait-elle, mon cœur est encore trop sous le coup du chagrin éprouvé, pour, pouvoir aimer de nouveau.*

Une fois rectifié, le même passage se présente ainsi :

> *Ninie reçut ce jeune homme avec le sourire sur les lèvres, car elle devina tout de suite que M. Burrage, qui était l'ami intime de Rogers, avait dû apprendre qu'il avait décidé de briser ses amours avec elle. La jeune fille était obligée tout de même d'étouffer, dans son cœur, le chagrin qu'elle ressentait à la pensée de recommencer de nouvelles amitiés, d'oublier tant d'heures agréables, de fermer les yeux à jamais sur toutes les premières scènes d'amour! Elle se sentait indifférente à la mort, parfois même l'aurait désirée et appelée si elle eut cru ne pas blesser sa conscience, tant elle éprouvait de la répugnance à vivre sans amours! Ce M. Burrage lui apparaissait doué de qualités; mais plus elle causait avec lui, plus elle était portée à faire la comparaison avec son ami. Elle ne se sentait aucun attrait, aucun penchant pour M. Burrage. Elle l'estimait beaucoup mais, bien qu'il renouvelât ses visites, il ne put capter son amour. "Peut-être, se disait-elle, mon cœur est encore trop sous le coup du chagrin éprouvé, pour pouvoir aimer de nouveau."* (186–187)

Ce passage permet aussi d'illustrer le traitement effectué sur le point d'exclamation et la virgule. Le premier a été remplacé par un simple point quand aucune émotion n'était exprimée dans la phrase. J'ai enlevé la plupart du temps ceux qui, au beau milieu d'une phrase, venaient en rompre l'unité.

Quand à la virgule, j'ai respecté généralement l'utilisation qu'en fait l'auteure. Toutefois, Virgine Dussault méconnaît certaines règles fondamentales que je me suis permis de rectifier. Par exemple, j'ai omis la virgule entre le sujet et le verbe, entre le verbe et le complément d'objet direct et quand la virgule isole une préposition[1]. Par contre, il m'est arrivé d'en ajouter une quand un complément circonstanciel est intercalé

1 Exemples : « Rogers, ne put comprimer tous les sentiments.... » devient « Rogers ne put comprimer tous les sentiments... » (chapitre IX, titre I, Bordeaux); « [...] *elle devina tout de suite, que M. Burrage...* » devient « [...] *elle devina tout de suite que M. Burrage...* » (chapitre VII – Vacances de Ninie); « [...] *mon coeur est encore trop sous le coup du chagrin éprouvé, pour, pouvoir aimer de nouveau* » devient « [...] *mon coeur est encore trop sous le coup du chagrin éprouvé pour pouvoir aimer de nouveau* » (chapitre VII – Vacances de Ninie).

dans une phrase (souvent l'auteure n'en met qu'une) ou qu'il s'agit d'une proposition subordonnée relative explicative.

Les guillemets anglais de la version originale ont été préservés et j'en ai ajouté pour indiquer les monologues intérieurs et lorsqu'il s'agissait de lettres échangées. Un autre ajout fut celui des tirets pour marquer le changement d'interlocuteur. D'ailleurs, la lecture des dialogues posait souvent problème, car l'auteure change parfois de paragraphe même si le personnage continue à parler. Afin d'éviter toute ambiguïté et de faciliter la lecture, j'ai réuni les paragraphes.

En ce qui a trait à la grammaire, j'ai respecté le style de l'auteure malgré des structures souvent fautives ou pour le moins bizarres. Toutefois, à certaines occasions, il a fallu corriger un mode ou un temps ou encore une préposition ou un pronom relatif et même, parfois, ajouter un mot manquant comme une préposition entre un verbe et un complément. Sur le plan orthographique, j'ai corrigé les fautes d'accord, les omissions ou inversions de lettres, les erreurs orthographiques, etc.

Quant à l'utilisation de la majuscule, j'ai respecté la plupart du temps l'usage qu'en fait Dussault quand il me semblait qu'elle avait voulu, de cette façon, donner plus d'importance à un mot ou souligner une certaine déférence. Par contre, j'ai opté pour la minuscule quand cette composante affective était absente[2]. Puisque l'auteure n'est pas constante dans l'utilisation de la majuscule (elle peut écrire « *Hôtel Savoie* » ou « *hôtel Savoie* »; « *Reine de Mai* » ou « *Reine de mai* »), je m'en suis tenue à une seule forme. Toujours au sujet de la majuscule, il arrive aussi fréquemment que l'auteure n'en mette pas après une interrogation ou une exclamation. De façon générale, j'ai rétabli la majuscule, sauf quand la phrase se poursuivait.

2 À titre d'exemple, j'ai gardé la majuscule dans les expressions suivantes : l'Amour du coeur (chapitre VIII – Surprise); son oncle le Curé (chapitre IV – La destinée); Congrès Eucharistique (chapitre VI – La rivale). Par contre, j'ai opté pour la minuscule dans la phrase suivante: « Quel débarras pour la Société » (chapitre IX, Bordeaux).

J'ai fait disparaître le trait d'union entre un adverbe et un adjectif (*très-grand, très-sage, très-compliqué*, etc.) et, conformément à l'usage moderne, l'apostrophe a été remplacée par le trait d'union dans « *grand'messe* », « *grand'père* », etc. De nombreuses abréviations ont été préservées (*Rvde* pour Révérende; *Mde* pour Madame; *Cie* pour Compagnie; etc.). De la même manière, je n'ai rien changé au vocabulaire utilisé qu'il s'agisse de termes forgés (*folâtrement, ardûment, détectifs, fervemment*, etc.), d'anglicismes (*hustings, maller, sensitive*, etc.) ou de mots orthographiés soit à l'anglaise, soit différemment d'aujourd'hui (*whiskey, wawarons*). Cependant, j'ai préféré le mot « saint » et « sainte » à leur abréviation.

Malgré l'incohérence évidente de l'organisation des chapitres et des titres, j'ai maintenu la présentation originale sauf en ce qui a trait à la numérotation fautive ; la mise entre corchets souligne mes interventions.

Partielle et partiales, les modifications apportées avaient pour but unique de faciliter la lecture du texte. Il va de soi que plusieurs incorrections demeurent dans la version présentée ici puisqu'il m'apparaissait important de respecter le plus possible la version originale.

Virginie Dussault

Delle VIRGINIE DUSSAULT

Amour Vainqueur

26 FÉVRIER 1915
MONTRÉAL

IMPRIMERIE J.-R. CONSTANTINEAU,
335, RUE NOTRE-DAME OUEST.

PRÉFACE

À mon Affectionné,

Jeune encore, mais courageuse et fière, je viens déposer à tes pieds cette modeste gerbe de fleurs, épanouies sous les soins particuliers que, par amour, je leur ai prodigués dans l'espoir de te ramener à la joie, au bonheur.

Bien des fois, impressionnée de ton malheur, convaincue de ton innocence, indignée de l'indifférence de ceux qui te devaient, et par devoir et par reconnaissance, le plus sincère et cordial appui, j'ai essayé de te défendre, j'ai essayé de t'être utile, d'adoucir tes peines et les douleurs morales qui te déchiraient le coeur. Bien des fois, j'ai fait appel à tous les sentiments de mon âme pour ne pas me sentir découragée. Comme au soldat au champ d'honneur, il m'a fallu la bravoure et le sang-froid; comme à la suffragette, il m'a fallu la ténacité et la persévérance; comme l'avocat, j'ai dû avoir recours à de multiples arguments. Il m'a fallu, dis-je, faire usage de tout ce que mon talent inventif pouvait me suggérer; tout cela, je l'ai fait en dépit d'amis qui te trahissaient, en dépit de certaines gens qui, dans l'espoir de recouvrer des piastres perdues par la baisse sur les valeurs immobilières, ne se faisaient pas scrupule d'oser attaquer l'honneur de celui que j'adorais pour sa noblesse de sentiments : toi, mon affectionné!

La pitié qui n'agit pas est une pitié stérile; j'ai eu la volonté d'exécuter mes desseins : je ne le regrette pas.

Je me rappelais alors toutes tes paroles, toutes tes marques d'intérêt et de sympathie pour mon avenir; j'avais, présentes à l'esprit, ces déclarations que tu me faisais, par un soir d'automne, et que je pourrais résumer par ces pensées de la Comtesse Mathieu de Noailles :

Il fera longtemps clair, ce soir, les jours allongent,
La rumeur du jour vif se disperse et s'enfuit,
Et les arbres surpris de ne pas voir la nuit,
Demeurent éveillés dans le ciel blanc et songent...

Les marronniers, sur l'air plein d'or et de lourdeur,
Répandent leurs parfums et semblent les étendre.
On n'ose pas marcher ni remuer l'air tendre,
De peur de déranger le sommeil des odeurs.

De lointains roulements arrivent de la ville...
La poussière qu'un peu de brise soulevait,
Quittant l'arbre mouvant et las qu'elle revêt,
Redescend doucement sur les chemins tranquilles.

Nous avons, tous les jours, l'habitude de voir
Cette route si simple et si souvent suivie,
Et pourtant, quelque chose est changé dans la vie :
Nous n'aurons plus jamais, notre âme de ce soir.

L'amour que je t'ai porté et que je te portais a été vainqueur! Mes démarches n'ont pas été vaines! Es-tu content? Es-tu satisfait, ami? Les consolations que ma main a pu t'apporter m'ont aussi réjoui le coeur et m'ont fait voir combien tu étais digne d'estime, d'amour et d'affection, par la gratitude avec laquelle tu as daigné les accepter.

Mon âme, blessée dans ses sentiments les plus sympathiques par l'isolement dans lequel tu t'es trouvé, s'est tout envolée vers toi, pour apporter un léger baume aux blessures de ton coeur et te rendre la gaieté qui te caractérisait lorsque, assis en ton "Home", tu te plaisais à écouter les faibles échos des notes musicales que je rendais.

Je ne pouvais me faire à l'idée de ne plus te revoir; je ne pouvais me résigner à croire que tant de bonté, de douceur, d'esprit de travail et d'honnêteté aient pu être si cruellement éprouvés! Que de souffrances j'ai endurées, que de tourments ont envahi mon âme! Et alors, avec Louis Lecardonel, je pouvais dire :

PRÉFACE

. . . .
L'Universel ennui creuse son ride en moi,
L'espoir sans s'arrêter, passe devant ma porte;

Le jour, quand il renaît, m'inspire de l'effroi;
La nuit roule sur moi, pleine d'horreur, glacée,
Je marche comme en rêve et sans savoir pourquoi.

Ah! qui l'emportera dans le Ciel, ma pensée?
Qui fera s'égayer au doux soleil, mon front?
Qui la délivrera, ma poitrine oppressée?

Enguirlandés de fleurs, les printemps passeront,
Puis, les étés ardents, puis les automnes graves,
Mais, sans charmer mon âme, ils se succéderont :
. . . .
. . . .
. . . .
Mon Dieu! Venez remplir ce néant désolé!

Ce petit volume que je te dédie, mon affectionné, te dira, par ce que tu pourras lire et sur les lignes et entre les lignes, tout ce que j'ai souffert pour toi, et avec quel esprit j'ai souffert, et tout ce que j'étais disposée à souffrir pour toi!

Que ce soit là, mon affectionné, la preuve la plus tangible, la plus sincère, de l'amour que je t'ai porté.

L' amour et l'esprit de reconnaissance ont été le mobile de toutes mes démarches, de toutes mes exécutions de tes désirs, de tous mes sacrifices; je ne les regrette pas, car mon Amour a été Vainqueur!

Et je goûte l'agrément de voir, près de moi, mon affectionné, joyeux et fier.

Une vie basée sur l'amour des principes et du droit ne saurait périr ignominieusement!

La durée de la vie des roses est éphémère, mais la durée de l'amour que je ressens pour toi est et sera immuable, éternelle.

Puissent ces lignes te servir de consolation, de défense et de vengeance contre ceux qui ont voulu attaquer ce qu'il y avait de plus sacré et de plus noble chez toi, mon affectionné, et te servir en même temps de preuve éclatante et convaincante de l'amour que je t'ai porté contre les basses calomnies dont tu as été l'objet, surtout de la part de gens incapables, ignorants et jaloux.

Que les années essaient de détruire ce témoignage d'amitié que je te porte!

Que l'ironie du sort essaie de te faire souffrir jusque dans tes sentiments les plus fiers!

Que l'abandon, par calcul ou intérêt ou honte, essaie de te faire mourir de chagrin!

La lecture seule de ces lignes te convaincra que je t'ai aimé, te rassurera de la sincérité de l'estime que j'ai eue pour toi et te persuadera que l'espérance que j'ai portée en ton coeur a contribué à te rendre fort pour lutter énergiquement contre ces événements qui devaient te faire plus grand aux yeux des gens intelligents!

Puisse ce souvenir de jours malheureux te rappeler les sacrifices que j'ai faits, sans espoir de récompense, pour toi et ton avenir uniquement, parce que mon coeur, épris des sentiments idéalistes qui envahissaient le tien, désirait ton bonheur qui, par le fait même, fait le mien.

L'adversité retrempe les âmes; c'est pourquoi l'amour que je t'ai porté a grandi encore : tu m'apparais plus digne et plus noble!

La noblesse de mon amour, le désintéressement personnel au gain de la cause me fait espérer que Celui qui sait punir les coupables, défendre les opprimés, saura nous accorder la faveur de jouir encore longtemps du bonheur que nous avons goûté depuis que nous nous connaissons.

Avec l'espoir de voir la réalisation de nos voeux accomplis, je me plais à te répéter ces mots : "Je t'aime".

Pour la vie,

VIRGINIE

"COMME AU SOLDAT
AU CHAMP D'HONNEUR,
IL MA FALLU LA BRAVOURE
ET LE SANG FROID."

AMOUR VAINQUEUR

CHAPITRE I

TITRE I

AU FOYER

Le soleil de juillet était à son couchant; comme une immense boule de feu, il apparaissait, descendant graduellement derrière les immenses forêts qui s'offrent à la vue des paysans à Guigues, comté de Témiscamingue. La lande de montagnes qui s'étend, languissante et triste par son aspect d'arbres à têtes brûlées ou desséchées, la plupart des épinettes, était enveloppée de nuages épais qui annonçaient la prochaine venue d'un orage. Le tonnerre grondait au loin. Il faisait très chaud quoique parfois, la brise, rafraîchie par l'approche de la nuit et par les vents du nord qui s'élevaient, apportait un léger soulagement aux gens revenant de leurs travaux.

L'hirondelle, de ses ailes agiles, fendait l'espace; tantôt rasant la terre, tantôt s'élevant bien haut dans les airs, elle faisait l'admiration des autres oiseaux qui, plus timides, cherchaient à se mettre à l'abri.

Dans les vallons, on entendait les mugissements des troupeaux conduits par les fermiers qui se hâtaient de terminer leur journée de travaux des champs avant l'orage terrible qui s'avançait de plus en plus vite sous la poussée croissante des vents.

Assise sur le perron d'un modeste hameau, une mère aux cheveux grisonnants, l'œil vif, à la figure résolue, dont le mari était dans les chantiers au loin, depuis des mois, tenait sur ses genoux, une jeune enfant de sept ans. Habituée à administrer, vu l'absence souvent répétée de son mari cherchant fortune, elle dictait ses ordres aux autres enfants afin que ses biens soient protégés.

La jeune fille rêveuse qui contemplait avec étonnement le spectacle de la nature, passant ses bras autour du cou de sa mère, lui couvrant les joues de ses baisers les plus affectueux, lui demanda alors : “Maman, que deviendrai-je moi?” Tout comme saisie d'inquiétude par l'aspect terrifiant du firmament, son âme sondait l'avenir.

– Je veux toujours te garder près de moi, lui répondit la mère. Je t'aime bien, ma chère Ninie. Il est vrai que parfois tu es maussade, mais tu es si affectueuse et tu es si bonne pour ta maman que je veux toujours te garder près de moi.

– Maman, ajouta la jeune enfant avec beaucoup d'assurance, comme si une inspiration soudaine avait jeté dans son coeur une décision définitive (était-ce là la conclusion d'une longue suite de pensées mûries dans la tête de cette jeune fille? Était-ce la conséquence de certaines conversations qu'elle avait entendues auparavant? Était-ce l'éclosion de certains sentiments éprouvés soudainement par cette âme sensitive, par l'impression que lui causait cet ouragan qui devenait de plus en plus menaçant?) : je veux, dit-elle à sa mère, je veux aller loin, loin, bien loin, comme papa, pour gagner beaucoup d'argent, acquérir des connaissances; je veux me faire instruire et après, ma chère Maman, je reviendrai auprès de toi et je te prouverai combien je t'aime.

– Pour atteindre ce but, reprit la mère, il te faudra subir bien des épreuves, verser bien des larmes, souffrir bien des ennuis. Il te faudra un grand courage et être bien brave, car tu ne connais pas encore, toi, tous les sacrifices qu'il faut faire pour arriver à cet idéal pour lequel tu soupires. Regarde, ma chère Ninie, comme c'est effrayant l'orage de ce soir et cependant, ce n'est qu'une légère image, qu'une faible description de l'orage de la vie!

À ce moment, les éclairs sillonnaient les nues et les échos des roulements du tonnerre se répercutaient fortement dans

"MAMAN QUE DEVIENDRAI-JE MOI.?"

le vallon de Haileybury et des environs – les petits garçons, revenant de leurs parties de plaisir de pêche sur les bords de la rivière La Loutre, regagnaient à toutes enjambées leurs demeures respectives; les paysans fouettaient leurs chevaux pour hâter leur retour. L'orage prenait de plus vastes proportions; déjà le ciel était couvert de nuées noires; la pluie commençait à tomber.

– Mais, je suis brave, moi, maman. J'ai du courage et il me semble que je n'aurais pas peur d'aller loin pour revenir, comme papa, avec des gros écus blancs, et après pour me faire instruire. Regarde, maman, comme je suis brave!

Et alors, détachant ses bras du cou de sa mère, elle s'élança sous la grosse pluie pour aider ses petits frères à mettre à l'abri poulets et poussins.

Couvent du St Nom de Marie Hochelaga — Montréal.

CHAPITRE I

TITRE II

AU FOYER

Ceux-là seuls qui sont privés de la joie, du bonheur que procure le foyer, peuvent apprécier toute l'importance d'un "*Home*". Les émotions qu'ils ressentent au contact d'êtres chéris après une absence prolongée ne se définissent pas.

Ninie, à ses dix ans, était tendre et affectueuse. Douée d'une intelligence brillante, elle savait répondre souvent par une seule boutade aux questions de ceux qui cherchaient à la taquiner. Cette idée d'aller loin comme son père lui était souvent revenue à l'esprit; mais la pensée de laisser sa famille modérait ses désirs. Elle avait, tant de fois, vu revenir son père à la maison, des chantiers où il passait de longs mois; elle l'avait tant de fois vu pleurer de joie à son retour, de se retrouver à son foyer, au milieu de sa femme et de ses enfants; elle l'avait tant de fois vu quitter son toit si cher en pleurant de chagrin, qu'elle hésitait sur ce dessein d'aller au couvent.

Souvent, le matin, elle passait de longues heures dans le jardin; elle interrogeait les fleurs qu'elle aimait éperdument. La question de l'avenir lui revenait sans cesse à l'esprit. Cependant, elle était joyeuse; ses compagnes l'aimaient; dans son cœur grandissaient toujours les désirs d'une vie sortant de l'ordinaire. Son caractère attira l'attention de sa maîtresse et même du Révérend Père Maurier, missionnaire Oblat dont le souvenir est gravé dans la mémoire de toute la population, et dont les enfants de la paroisse se plaisaient à baiser le crucifix qu'il portait à son cou pour recevoir de lui, bons conseils, bonnes caresses et bénédictions.

Aussi, disaient-ils souvent : “Cette enfant-là fera quelque chose.”

Ninie, sous l’apparence d’une jeune fille aux manières rudes, avait bon cœur et avait un amour, une affection des plus grandes pour son père. Ses absences si prolongées, ses bontés pour elle l’obligeaient en quelque sorte à aimer son père davantage.

Le père l’aimait beaucoup, aussi, sa petite Ninie. Il aimait tous ses enfants, mais cette petite fille lui témoignant plus d’affection que les autres, il se plaisait à satisfaire aux besoins de la sensibilité de son cœur; à chaque soir, au foyer, il la pressait dans ses bras pour l’endormir et lui chantait cette vieille chanson connue au Témiscamingue : *Mon Âne*.

Quand P’tit Jean revient du bois,
Quand P’tit Jean revient du bois,
Trouva la peau de son âne
Que le loup avait traînée.
Peau, peau, pauvre peau
Tu n’attraperas plus de coups de fouets,
Carillonnette
Ni de coups de fouets,
Ni de coups de bâtons.
Carillonnons!

Les deux mains occupées à mettre en ordre la barbe de son papa, elle tirait tantôt sur la moustache, tantôt sur le *pinceau* qu’il portait au menton, pour lui arracher ou un sourire ou une caresse.

Toutes les chansons qu’il lui avait fredonnées alors qu’au foyer, il l’endormait dans ses bras; tous les baisers qu’il lui avait donnés; tous les rêves d’espoir de faire réussir sa petite fille et d’aller vivre avec elle quand il serait bien vieux, quand tous les autres êtres de sa famille n’auraient pas le loisir de s’occuper des chagrins de sa vieillesse, et toutes sortes d’histoires que son papa se plaisait ainsi à raconter pour égayer l’esprit de cette jeune fille lui revenaient à la mémoire et lui faisaient désirer le retour du chantier de celui qui lui avait prodigué tant d’affection et d’intérêt.

CHAPITRE I

Quoique jeune, quoique joyeuse, quoique parfois elle prît des airs d'une enfant insoucieuse, elle devenait souvent pensive et soupirait après le retour de son père. L'ennui de celui qui lui avait manifesté tant d'appui, de protection et d'amour, la rendait souvent maussade et boudeuse.

– Quand papa reviendra-t-il, maman? demandait-elle, un jour à sa mère qui, voyant les larmes aux yeux de cette jeune enfant, ne put contenir ses larmes, elle-même, et fut obligée de réprimer les sanglots qui étreignaient sa gorge.

– Le 18 du présent mois, mercredi en huit, reprit la mère, ton père sera ici : je l'attends. Nous lui ferons une belle fête, n'est-ce pas, ma Ninie?

– Oh oui! maman! Je lui ferai une belle fête, une belle caresse, et je lui tirerai son *pinceau* et papa me bercera en me chantant :

"Quand P'tit Jean revient du bois."

Que de nuits sur celles qui devaient être l'attente de son papa, elle passa dans les insomnies! À chaque jour, la jeune fille, qui avait l'habitude de jouer avec ses camarades, était vue, à certains moments, triste et rêveuse : elle désirait le retour de son papa.

Le 18, jour fixé par la maman, arriva enfin. C'était, à la maison paternelle, un jour de grande fête, comme cela peut l'être à Guigues, en pareille circonstance. Toute la famille s'était donné la main pour mettre la maison propre et dresser une bonne table.

C'était le retour au foyer du père qui avait passé des jours et des nuits, exposé à la rigueur des saisons, et avait souffert de durs travaux pour revenir avec, en poche, des écus pour faire vivre sa famille, pour satisfaire son désir de se créer une position enviable, et pouvoir affirmer sa vie de pionnier au Témiscamingue, malgré les injustices et les épreuves qui l'attendaient et qu'il a subies courageusement.

AMOUR VAINQUEUR

Ce jour-là est à jamais ineffaçable de la mémoire de cette jeune fille!

Tout le monde se pressait autour de lui : les uns l'examinaient pour voir s'il avait maigri; les autres pour constater qu'il avait vieilli; les enfants pour s'assurer qu'il s'intéressait encore à eux et pour lui apprendre, de vive voix, tout le nouveau, tout ce qui s'était passé depuis son départ, et Ninie pour prouver à son papa qu'elle l'aimait beaucoup, et pour savoir lui demander timidement s'il lui chanterait encore *"Mon Âne"*, en la berçant, ou une autre chanson qui lui était chère :

AU DÉBUT DE LA VIE

Au début de la vie
Lorsque j'aurai vingt ans,
À mon âme ravie,
À mon coeur palpitant,
Qu'il est doux ce sourire
Qu'un ange a fait vibrer,
Car tout semble me dire :
Enfant, il faut aimer.
Les oiseaux chantaient
Pour moi, douces choses
Les blés frémissaient,
Les grands bois parlaient,
Pour moi, soupiraient
Les lis et les roses.
C'est beau le printemps
Quand on a vingt ans.

CHAPITRE I

TITRE III

AU FOYER

Qu'il est doux de rêver! Combien plus douce est la satisfaction de voir nos rêves accomplis!

Se nourrir de rêves seulement indique un manque d'énergie et un jugement subordonné à l'imagination; mais le rêve stimule l'activité et, par les beaux buts qu'il propose à l'intelligence d'atteindre, il emporte dans le champ de l'action.

Bien des fois, Ninie, les coudes appuyés sur la fenêtre qui donnait sur le jardin de son père, la tête enfoncée dans ses petites mains potelées, demeurait ensevelie dans ses méditations et ses rêves, des heures durant. Elle se plaisait à voir voltiger les papillons, de fleur en fleur. La vue de ce jardin entouré de cerisiers, de pruniers, rempli de plantes potagères et séparé d'une longue plate-bande parsemée de bouquets et de fleurs les plus diverses, la transportait bien loin!

Ninie était aussi pratique, énergique qu'imaginative. Elle était laborieuse. Elle avait acquis alors quelques connaissances au couvent de l'Épiphanie où elle avait été aimée de certaines de ses institutrices et où elle avait été, sinon détestée, au moins incomprise par quelques autres de ses maîtres à qui elle n'a jamais tenu rancune.

Revenue à Guigues, au foyer, Ninie employait ses heures de vacances à aider sa mère à tous les travaux du ménage et à lui faire toutes sortes de questions concernant son avenir.

Ses seize ans inondaient sa figure intelligente de joie et de sourires. C'était l'âge de l'amour.

Son coeur affectueux, ses grands yeux bruns, sa figure arrondie, son regard vif et intelligent, ses manières délicates, ses beaux cheveux touffus retombant sur ses épaules, ses saillies spirituelles en faisaient une jeune fille aimable. Son cœur était ouvert à l'espérance.

Aussi, les prétendants ne manquèrent pas l'occasion de rivaliser pour conquérir et ses premiers baisers et son premier amour. Des jeunes gens, il y en avait cinq dans la paroisse – qui se piquaient d'orgueil et qui, de fait, étaient mieux doués et qui avaient un avenir des plus enviables, tant du côté de l'honneur, de la position sociale de leurs parents que du côté de leur savoir-vivre – qui s'étaient présentés chez Ninie.

Elle aima. Elle aima, comme toute jeune fille, plus d'un et quelquefois plus d'un à la fois. Mais ses grands yeux ouverts sur son avenir, son intelligence pratique et son coeur affectueux, et l'amour du foyer de son père lui apportaient à l'esprit des réflexions qu'elle a méditées souvent et qui ont fait que, sans dédaigner ceux qui lui ont offert et bouquets et estime, et roses et amour, et courage et volonté, et leur coeur et leur vie, elle préféra de nouveau encore quitter les lieux, chers par les souvenirs d'amour filial et d'amitié de jeunesse, pour satisfaire l'ambition de son âme désireuse de marcher dans la voie du progrès, vers l'inconnu, vers la fortune, vers l'instruction!

CHAPITRE I

TITRE IV

AU FOYER

Il faisait un temps superbe du mois d'août. Le lac Témiscamingue, miroir de Haileybury, était calme et clair. Une chaloupe de bois non peint glissait légèrement sur ses eaux, sous le battement de deux avirons conduits doucement, mais vigoureusement, par un jeune homme qui, par sa gentillesse, avait réussi à faire prendre place à Ninie, en face de lui, dans cette embarcation qui devait conduire les jeunes amoureux à un entretien des plus touchants.

La nature était des plus sereines. Le silence régnait partout : pas de vent, ciel clair, soleil un peu assombri par de légers nuages clairs parsemés dans le firmament, brise chaude, atmosphère remplie du parfum s'exhalant des bois à l'aspect sauvage qui entourent le lac Témiscamingue. Les amoureux pouvaient ainsi donner libre cours à leurs conversations. Seuls, quelques oiseaux voltigeant autour d'eux, suivant leur embarcation comme pour recueillir à la surface des eaux les petits insectes ou les petits poissons qui y apparaissaient lors du déplacement des eaux sous le coup des rames, pouvaient distraire leurs esprits.

C'était l'avant-veille du départ de Ninie pour reprendre ses cours. Elle rêvait! Elle voulait savoir peindre, apprendre les travaux d'art, connaître en un mot beaucoup. Cependant, son cœur ouvert à l'amour, rempli de désirs, d'espérances, souffrait à la pensée de tout quitter : Guigues et ses forêts, ses parents et ses camarades, amour natal, amour filial, amour de cœur!

Rogers, qui l'accompagnait, était un beau garçon : grand, à l'allure fière, d'un teint blond, à l'œil bleu, au sourire franc et bon. Il était très timide. Il avait fait quelques années de collège, mais il était encore bien jeune.

Rogers s'aperçut du combat qui se livrait dans le cœur de Ninie. Il l'aimait éperdument. Il l'avait accompagnée quelques fois, à la sortie de la grand-messe, à Guigues. Il lui avait, par plus d'un regard, fait comprendre qu'elle était l'objet de son amour; mais jamais, il n'avait encore osé lui dire tout ce qu'il ressentait pour elle; il n'avait pas osé lui parler de ses projets ni de ses rêves!

À la pensée seule de lui parler amour à la rencontre du regard de Ninie, Rogers rougissait et trahissait tous les sentiments de son âme et obligeait Ninie à baisser la vue, qui, satisfaite et réjouie de se sentir aimée par Rogers, laissait exprimer sa joie en lui jetant sur les mains les fleurs d'un bouquet qu'elle tenait et qu'elle effeuillait en comptant le nombre de pétales des marguerites, et en refaisant, remodelant de ses doigts fins, le bouquet de roses dont elle détachait des parties pour les fixer à son corsage et à la boutonnière de l'habit de Rogers.

– Mais enfin, se dit-il à lui-même, ne serais-je pas assez énergique pour lui déclarer que toute mon affection va vers elle; que je n'ai jamais aimé; que mes lèvres n'ont jamais effleuré les joues d'une jeune fille, par amour? Ne serais-je donc pas assez intelligent pour pouvoir lui dire de vive voix, que je l'aime? Comme mon cœur se sentirait alors soulagé!

Toutes ces réflexions que Rogers se faisait, augmentaient son trouble qu'il ne pouvait dissimuler. Ninie, quoique bien jeune elle aussi, était d'une nature un peu plus hardie et elle chercha, par de fines causeries, à faire disparaître le malaise de Rogers; elle lui causait de tous ses projets d'études et de quantité de choses bien indifférentes lorsque, tout à coup, profitant du bruit causé par les sifflets des manufactures de Haileybury invitant les ouvriers à prendre un repos après leur journée de durs labeurs – c'était six heures du soir –, Rogers, tout tremblant, devenu pâle, les yeux fixés dans les yeux de Ninie et, tout amoureusement :

CHAPITRE I

– Ninie, lui dit-il, comme cela, tu t'en vas à Chatham, au couvent?

– Oui, mon cher, reprit-elle avec douceur, mais en y mettant de l'énergie, pour indiquer que sa décision était des plus fermes. Je veux être instruite.

– Ne t'en coûte-t-il pas de quitter Guigues? Il est vrai que le village n'est pas très grand (Rogers était aussi de Guigues, mais habitait alors Haileybury); cependant, sais-tu qu'il y a, à Haileybury, un jeune homme qui aime à aller voir ce petit village et aussi qu'il éprouve pour toi un amour des plus grands?

Et en prononçant ce mot *amour,* Rogers, tout bouleversé, donna un coup d'aviron si maladroitement qu'il fit éclabousser un jet d'eau sur la modeste mais jolie petite toilette que sa mère lui avait achetée au début des vacances!

C'était sa première toilette mondaine!

Après un moment d'hésitation, Ninie, bien que devinant le trouble dans lequel elle mettait Rogers, reprit :

– Mais qui est-il ce jeune homme? Moi, j'ai des amis, mais je n'en connais pas qui éprouvent tant d'amour pour notre petit village et pour moi!

À son tour, Ninie, à la vue de l'embarras de Rogers, devint silencieuse. Sa poitrine, soulevée sous les efforts qu'elle faisait pour dissimuler toute l'affection qu'elle ressentait, trahissait ses sentiments et alors, elle baissa la vue et, de ses doigts tout tremblants et feuilletant les jolies roses, elle chercha à comprimer tout ce qui se passait dans son âme.

Plusieurs minutes qui n'en parurent qu'une, s'écoulèrent. Seuls, les avirons battant les eaux rompaient le silence intervenu entre deux âmes s'aimant au point de ne pas pouvoir s'exprimer.

– C'est moi! reprit vivement et soudainement Roger qui, lâchant ses avirons s'élance au cou de Ninie qui, se rendant compte et de son impuissance à se défendre et du degré de l'amour qu'il lui porte et du bonheur qu'elle éprouve de se sentir dans ses bras, demeure impassible, la tête appuyée sur son épaule, et Rogers l'embrasse de toute la force de son âme...

Les deux avirons ne battent plus les eaux; la chaloupe subit la douceur du courant léger qui la glisse insensiblement. Seul le ciel sait que ces amoureux vivent encore; eux, ils ont perdu conscience de ce qui se passe. Rogers, éveillé de sa léthargie par les sanglots de Ninie qui, sous l'émotion ressentie, ne peut retenir ses larmes... de joie et de bonheur éprouvés, reprend les avirons pour remonter une distance de deux milles. Les amoureux avaient oublié ou plutôt ne connaissaient pas que les plus courts instants de la vie sont ceux passés et goûtés sous les ailes de l'amour. Il était huit heures! Il faisait encore chaud! Les étoiles scintillaient au firmament, la lune reflétait ses rayons argentés sur le lac, témoin jaloux de cette scène d'amour!

Ninie avait reçu son premier baiser d'amour de Rogers qui n'en avait jamais reçu ni donné! Ninie avait reçu ce premier baiser sur les eaux du Témiscamingue alors qu'elle portait sa première toilette mondaine de jeune fille, à son pays natal, et d'un jeune homme de son pays!

Souvenir, pour elle, qui lui a valu bien du courage dans les multiples épreuves qu'elle rencontra sur sa route.

Premier baiser d'amour, première toilette mondaine et pays natal!

Vive Guigues! Vive Haileybury! Vive le lac Témiscamingue!

"VIVE GUIGUES! VIVE HAILEYBURY!
VIVE LE LAC TÉMISCAMINGUE!"

CHAPITRE II

RÉMINISCENCES DU COUVENT

TITRE I

ADIEUX DE NINIE À SES PARENTS

Le cœur navré, l'âme remplie de saisissement à la pensée que bientôt, elle devrait dire adieu à ses compagnes, à ses amis, à ses parents même, pour qui elle avait une véritable affection et envers qui elle se sentait si reconnaissante pour les sacrifices qu'ils s'imposaient pour lui faire terminer ses études, Ninie assistait, à la veille de son départ, à une petite fête de famille donnée par son père qui avait invité, en outre des proches, des amis et des voisins.

Une table bien garnie était dressée au milieu de l'une des salles. On avait donné à Ninie une place d'honneur; elle était accompagnée de son ami de cœur Rogers. Les convives étaient nombreux.

Rogers, quoique fier de recevoir tant de marques de considération et d'égards des parents de la jeune fille, ne pouvait s'empêcher de laisser paraître sur sa figure de beau jeune homme une tristesse qui envahissait son âme; le chagrin qu'il ne pouvait dissimuler causait de profondes émotions à Ninie.

Pendant le repas, on commença à chanter; les plus vieux convives furent d'abord invités, puis les jeunes gens eurent leur tour.

Rogers dont la voix était superbe fut prié de se faire entendre. Il regrettait infiniment de se trouver dans une si pénible disposition d'âme : refuser de chanter, lui qui était admiré habituellement par la limpidité de sa voix, c'était déplaire à son amie; oser essayer de comprimer les émotions qu'il ressentait, c'était, en acceptant l'invitation, s'exposer à ce que sa voix ne devienne tremblante et que tout le monde ne rie de lui, et que des rivaux ne lui en tirent mauvais parti. Après un moment d'hésitation, comme rassuré par la demande réitérée de Ninie qui, tournant ses regards vers lui :

– Oh! Oui, tu es capable de chanter, et j'aime tant t'entendre!

Il se leva et donna la chanson du "Petit Mousse"; mais rendu à ces mots : "Va petit mousse, où le vent te pousse...", ne pouvant plus contenir son émotion, il perdit haleine un moment à la pensée que son amie devait aller aussi et s'éloigner de lui; mais le père de Ninie, s'apercevant du trouble dans lequel il donnait, de sa grosse voix, reprit avec force le doux refrain de cette chanson qui lui était chère et le tira de son embarras.

On dégusta de bons mets, on but de bonnes bières et du bon whiskey blanc canadien; puis, tous les convives se livrèrent à divers amusements, causeries, jeux de cartes, sauteries, etc.

Vers la fin de la soirée, deux jeunes filles, portant, l'une, une large corbeille remplie de fleurs, l'autre une adresse enroulée dans du ruban, s'avancèrent vers Ninie et son ami Rogers, et la plus âgée commença :

"À Dlle...
Guigues,
Témiscamingue.

Mademoiselle,

Les sentiments que, tous réunis autour de vous, parents et amis, éprouvons ce soir, sont partagés par un grand nombre de vos amis absents qui n'ont pu, pour diverses raisons, se joindre à nous.

Ces sentiments sont des sentiments de joie en vous voyant si heureuse de pouvoir retourner au couvent pour perfectionner vos études et aussi des sentiments de regret de vous voir nous quitter, car vous faisiez, au foyer, l'orgueil de vos bons parents qui vous ont manifesté tant d'affection. Près de vos amis, vous faisiez leur joie par vos gais propos et l'estime que vous leur portiez.

Le désir de grandir, l'ambition que vous avez au cœur d'acquérir de plus vastes connaissances vous font délaisser, une fois encore, les espérances d'avenir heureux que vos qualités vous permettent de réaliser ici même et vous font quitter le foyer paternel que vous chérissez et renoncer, momentanément du moins, à vos amours.

Puissiez-vous réussir dans toutes vos entreprises comme vous le désirez; c'est là le souhait le plus sincère de nos cœurs.

Mais nous vous demanderons, lorsque vous aurez réussi, de revenir saluer ceux qui vous aiment, de revenir voir ceux qui vous portent tant d'intérêt et de revenir visiter votre pays natal où vous laissez de si précieux souvenirs.

Nous vous prions de croire, Mademoiselle, que nos pensées seront souvent tournées du côté de Celui qui sait accorder le succès à ceux qui, comme vous, ont toujours pris pour base de leur réussite, le travail et l'assiduité".

Cette adresse était signée d'une soixantaine de noms parmi lesquels se lisaient, après ceux des membres de la famille, celui de Rogers.

La jeune fille, toute confuse de se voir l'objet d'une telle démonstration et comprenant le devoir qui lui était imposé de répondre à des paroles si élogieuses reprit :

"Biens chers Parents,
Chers Amis,
Mesdemoiselles,

Il est dans la vie des moments si heureux que l'on voudrait les voir durer toujours. Ceux que je goûte ce soir me rendent si joyeuse que si, depuis mon bas âge, je ne m'étais pas sentie continuellement attirée vers un même but, bien défini, de devenir très instruite, je renoncerais à mon départ pour demeurer au milieu de vous, qui me manifestez tant d'estime et de sympathie.

Il n'est pas de départ qui ne cause de chagrin. Le mien me coûtera bien des larmes, je le sais; car il me faut, je le sais, suspendre mes amitiés et amour de cœur de jeune fille; il me faut me séparer de mon cher père qui a été si bon pour moi et de ma chère mère qui a toujours veillé sur toute ma personne avec une sollicitude vraiment extraordinaire; il me faudra me priver de la joie de voir toutes ces bonnes figures que je vois réunies autour de moi.

Mais veuillez croire que je n'oublierai jamais! Oh! non, jamais, cette petite soirée où je goûte tant de bonheur!

Animée du désir de connaître l'au delà de ces montagnes, je veux me faire instruire et acquérir de vastes connaissances.

Biens chers Parents et Amis, je vous remercie du plus profond de mon cœur de ces marques de confiance au succès de mes études, de vos bons souhaits et aussi des sympathies et de l'estime que vous me témoignez.

Je n'étais peut-être pas digne de tant de considération, mais je veux en retourner le mérite à mes chers parents qui, par l'estime dont ils jouissent dans notre petit village de Guigues, ont su m'attirer tant d'honneur.

Avec l'assurance de ma vive reconnaissance, je vous prie d'accepter mes remerciements les plus sincères et les vœux que je forme pour votre bonheur."

Après cette adresse, les jeunes convives commencèrent à exécuter des tours de valse. Ninie, comme absorbée dans de tristes réflexions, devenait tantôt joyeuse, tantôt triste; son âme était en proie à lutter contre les impressions que lui avaient créées les paroles contenues dans l'adresse et les mots qu'elle avait été spontanément appelée à y répondre.

La peine qu'elle ressentait à tout quitter, la violence qu'elle devait faire à son pauvre cœur, encore peu habitué aux sacrifices, lui présentaient à l'esprit l'idée de renoncer à son projet.

CHAPITRE II

Pendant que tout le monde s'amusait, les uns à chanter, les autres à danser, Rogers, qui avait retiré Ninie à l'écart, lui dit :

– Ninie, ma chère amie, es-tu toujours bien décidée à partir encore pour un voyage si lointain?

– Oui, mon cher, car mes études ne sont pas terminées; malgré que j'éprouve beaucoup de peine de te quitter, il me faut partir pour le couvent. Quand je serai de retour, bien instruite, l'an prochain, tu m'aimeras peut-être davantage?

– Oh! dit Rogers, tu seras alors peut-être trop aimable, tu ne voudras plus de moi! Ton départ me cause un tel chagrin que, si tu n'y renonces, je penserai sûrement à prendre une décision.

– Laquelle donc Rogers? Dis-le moi!

Rogers, hésitant :

– À continuer mes cours d'études moi aussi. Mon père avait décidé de me garder dans le commerce, avec lui, à Haileybury; mais je crois pouvoir obtenir la permission de retourner au collège, car il me l'a déjà offert. Quand je serai, moi aussi, très instruit, quand je serai notaire ou avocat ou médecin, je serai plus agréable à tes yeux!

Un sourire effleura les joues de Ninie qui roulait ses grands yeux bruns dans les larmes de joie qu'elle cherchait à dissimuler.

– Mon cher Rogers, je ne veux rien te conseiller. Il est vrai que depuis mes vacances, j'ai senti naître dans mon cœur un amour pour toi qui n'a fait que s'accroître bien que je ne te l'aie jamais déclaré; mais je ne veux pas être tenue responsable de la décision dont tu me parles. Je t'estime, tu le sais, mais je suis si jeune encore et, bien que j'aie la ferme résolution d'atteindre mon but de terminer mes études, je ne sais pas si ma santé me permettra de continuer ces études que je me propose de terminer; de plus, mon cher Rogers, tu sais que, à mon âge, cet amour de jeunesse dont notre cœur n'est pas le maître, souvent varie et peut varier et changer, bien que je veuille toujours t'aimer.

Des pensées de toutes sortes obsédaient l'esprit du jeune homme.

– Quand tu seras au couvent, répondras-tu à mes lettres, ma chère Ninie?

– Certainement, mon cher Rogers, si mes institutrices me le permettent et d'ailleurs, je tâcherai de trouver, dès mon arrivée au couvent, un moyen pour te faire parvenir mes missives et je t'indiquerai alors comment tu pourras faire pour me faire parvenir tes réponses.

– Merci, lui dit-il, je suis content que tu penses à me garder ton amour; je te garderai le mien, sois assurée, et j'essaierai à être grand, dans l'espoir que tu me trouves toujours digne de toi.

À ce moment, Ninie, revenue à la gaieté par l'espérance de recevoir, dans la solitude, des nouvelles de son ami, reprit vivement :

– Oh, mon cher Rogers, moi aussi, je te garderai mon amour. Je t'aime bien et, si j'en juge par les dispositions de mon âme depuis que je te connais, je t'appartiens tout entière et le souvenir de cette première excursion avec toi, sur les eaux du lac Témiscamingue ne sera jamais effacé de ma mémoire; mon coeur gardera longtemps pour mon bon ami Rogers, une amitié que rien ne pourra altérer!

La veillée était finie. Les assistants se préparaient à partir. Rogers promit à Ninie d'être au train le lendemain et se retira en lui pressant les mains et en lui remettant un petit billet.

Rendue à sa chambrette, la jeune fille s'empressa d'ouvrir ce petit billet qui contenait ces mots :

"Ma chère Ninie,

Je ne puis t'exprimer mieux mes sentiments qu'en te priant de lire cette petite poésie de Victor Hugo :

CHAPITRE II

Puisque j'ai mis ma lèvre, à ta coupe encore pleine;
Puisque j'ai, dans tes mains, posé mon front pâli;
Puisque j'ai respiré parfois la douce haleine
De ton âme, parfum dans l'ombre enseveli;

Puisqu'il me fut donné de t'entendre me dire
Les mots où se répand le cœur mystérieux;
Puisque j'ai vu pleurer, puisque j'ai vu sourire,
Ta bouche sur ma bouche, et tes yeux sur mes yeux;

Puisque j'ai vu briller sur ma tête ravie
Un rayon de ton astre, hélas! voilé toujours;
Puisque j'ai vu tomber dans l'onde de ma vie,
Une feuille de rose arrachée à tes jours;

Je puis maintenant dire aux rapides années :
Passez! passez toujours! je n'ai plus à vieillir!
Allez-vous-en avec vos fleurs toutes fanées;
J'ai dans l'âme une fleur que nul ne peut cueillir!

Votre aile, en le heurtant ne fera rien répandre
Du vase où je m'abreuve et que j'ai bien rempli.
Mon âme a plus de feu que vous avez de cendre!
Mon cœur a plus d'amour que vous n'avez d'oubli!"

Ninie lut et relut ce petit billet où le cœur de son ami croyait avoir trouvé tous les sentiments qu'il éprouvait. Elle passa la nuit dans une demi-insomnie où Rogers lui apparaissait tantôt gai, tantôt triste.

Il était de bonne heure, le lendemain, quand elle fut éveillée et anxieuse de connaître la température. Quelle joie elle éprouva quand, soulevant le rideau de sa fenêtre, elle constata que la journée s'annonçait très belle.

Quelques minutes avant l'heure du train, des jeunes filles, compagnes et amies de Ninie, s'étaient rendues à la gare de Haileybury, ainsi que Rogers qui s'était mêlé dans la foule de voyageurs qui stationnaient sur la plate-forme. Ninie arriva accompagnée de son père. Rogers, en la voyant, eut le cœur serré, mais s'empressa d'aller au-devant pour demander la permission de l'embrasser et lui souhaiter bon voyage.

Ninie, les yeux encore rougis des larmes qu'elle avait versées en quittant le toit paternel, sa bonne mère, ses frères et ses sœurs et la figure attristée par le chagrin qu'elle avait dû combattre, dit un dernier et affectueux bonjour à son père après lui avoir témoigné toute sa reconnaissance par une caresse des plus tendres, monta dans le train, prit son mouchoir pour saluer une dernière fois, mais elle dut s'en servir pour se cacher la figure arrosée de larmes qu'elle ne pouvait plus contenir.

C'était, pour elle, un mélange de joies et de peines inexprimables.

CHAPITRE II

RÉMINISCENCES DU COUVENT

TITRE II

VERS CHATHAM

Le train filait à toute vitesse; les chars étaient remplis de voyageurs. Ninie était seule sur son banc. Occupée à mettre ses petites malles en ordre, elle ne remarqua pas, d'abord, les voyageurs qui l'entouraient.

Le firmament était clair; c'était une belle journée d'été.

Toute sa pensée était de savoir si elle se rendrait sans inquiétudes. Elle repassait aussi, dans sa mémoire, les événements qui venaient de se passer et lui apparaissaient comme des rêves; elle songeait à ces heures qui avaient laissé dans son âme de profondes impressions qui lui inspiraient moins de goût pour les études qu'elle voulait terminer.

Après quelques heures de marche, le train s'arrêta à North Bay où des voyageurs débarquèrent et d'autres, parmi lesquels deux Révérendes Sœurs, entrèrent dans le même char où elle avait pris place. La jeune fille reconnut en ces religieuses, Révérende Sœur Marie Cornélie et Révde Soeur Marie Épiphane, du couvent des Saints Noms de Jésus et de Marie, à Hochelaga, Montréal. Les religieuses reconnurent aussi leur ancienne élève et remarquèrent la tristesse peinte sur son visage; elles vinrent s'asseoir près de la jeune fille et lui causèrent :

– Mais où allez-vous, Mademoiselle, lui demandèrent-elles?

– À Chatham, répondit Ninie.

– Au couvent?

– Oui, mères, au couvent de Chatham!

– Nous ne voulons pas vous faire changer subitement votre décision, Mademoiselle, mais pourquoi allez-vous au couvent de Chatham? Nous aurions tant aimé à vous revoir à notre couvent cette année encore. Nous avions même pensé à vous garder avec nous. Nous croyions que vous étiez appelée à la vocation religieuse; vous étiez si bien, chez nous; et il nous semblait que les succès que vous aviez remportés devaient laisser en votre cœur des souvenirs qui vous auraient ramenée cette année à Hochelaga. La vie religieuse est la plus belle de toutes, vous le savez, et vous avez certainement des signes de vocation religieuse qu'il vous faudra étudier.

– Bien, reprit la jeune fille, Révérendes mères, j'aurais aimé à retourner au couvent à Hochelaga, mais je veux aller à Chatham pour y apprendre surtout l'anglais.

Puis, la conversation roula sur les sujets variés du retour d'anciennes élèves, de la mort de certaines compagnes arrivée pendant les vacances, des changements des institutrices et plus tard, on évoqua à la jeune fille certains souvenirs : entre autres, celui où la jeune Ninie avait été nommée, à la suite d'un concours d'Instruction Religieuse et en récompense d'une bonne conduite au couvent, “Reine de mai, le 31 mai 1907.”

Cet honneur signifiait que la jeune fille avait l'estime de ses supérieures. Pour cette cérémonie de la proclamation de la “Reine de mai”, la jeune fille revêtait une toilette toute blanche et portait sur sa tête une couronne de fleurs. Ses supérieures lui donnaient le droit absolu de prendre la direction de ses compagnes qui étaient censées devenir, ce jour-là, ses sujets. C'est ainsi que la jeune fille, en qualité de “Reine de mai”, exprima le désir, auprès de ses supérieures, de retrancher du bulletin des élèves toutes les mauvaises notes telles que les Médiocre, les Passable, et de n'employer que les Très bien, presque Très bien et Bien.

Le chapelain de l'institution, qui n'avait pas été mis au courant de l'importance de l'autorité ni des pouvoirs qu'on conférait à la “Reine de mai”, vint faire, selon l'usage, la lecture du compte rendu des notes désignant le succès dans les études et les progrès ou le plus ou moins d'application des élèves dans leur conduite. Quelle ne fut pas sa surprise de constater que pas une seule note mauvaise n'apparaissait sur le bulletin des élèves; alors, tout naïvement, le chapelain de l'institution commença à faire des recommandations aux élèves, les exhortant à continuer leur application au travail, etc. et les félicitant chaleureusement du beau résultat de la semaine, lorsque tout à coup, levant les yeux, il aperçut la "Reine de mai", toute vêtue de blanc et, constatant les sourires que s'échangeaient les élèves :

– Très bien, dit le Révérend M. Pyette, je constate avec beaucoup de plaisir ce beau succès; mais je suis à me demander si ce n'est pas l'effet des pouvoirs de la "Reine de mai" qui aurait eu l'heureuse idée de me prouver qu'elle a de bons sujets. En ce cas, dit-il, je la félicite de tout mon cœur et au nom de ses compagnes qui ont bénéficié de sa bonté, et au nom de la Communauté qui doit se sentir honorée par un tel compte rendu, et à mon nom, car il me fait plaisir de ne lire que de bonnes notes, en ce jour de fête. Ainsi, tout le monde sera joyeux et le congé n'en sera que plus agréable.

Ces paroles furent couvertes d'applaudissements et le Révérend M. Pyette tiré d'embarras.

– Vous rappelez-vous, mademoiselle, la figure étonnée du chapelain et l'incertitude avec laquelle il osa deviner la nature du compte rendu?

Ces paroles et d'autres souvenirs assez joyeux qu'on évoqua à la jeune fille eurent pour effet de lui rendre la gaieté et de dissiper le chagrin qu'elle avait éprouvé en quittant Haileybury et Guigues.

La conversation sur divers sujets entre les religieuses et la jeune fille continua jusqu'à Montréal où celles-ci se séparèrent de Ninie qui prit le train en destination de Chatham.

Remplie des souvenirs évoqués, Ninie trouva la distance relativement courte, tout occupée qu'elle fut à méditer sur ses années passées au couvent de Hochelaga.

CHAPITRE II

RÉMINISCENCES DU COUVENT

TITRE III

À CHATHAM

Le couvent de Chatham est une jolie construction assise à quelque cents pieds de la rivière Thames. De beaux arbres, surtout des pins, entourent le couvent. L'intérieur est riche et respire la propreté et l'aisance. Les Révérendes Sœurs, institutrices de la maison, sont la plupart des Irlandaises. Les élèves sont particulièrement recrutées parmi la haute classe de la société. Toutes les prières de la communauté sont faites en anglais.

Dès les premiers jours après son arrivée, Ninie sentit qu'elle avait choisi le bon endroit pour atteindre son but : se perfectionner dans la langue anglaise et prendre de bonnes manières, acquérir une bonne éducation au contact de ces élèves, filles pour la plupart du grand monde, et sous la direction de ces institutrices, dames qui tiennent, au premier rang de leur enseignement, une éducation soignée et un savoir-vivre distingué.

Cependant, encore bouleversée par tous les souvenirs qu'elle avait laissés au foyer et encore tout anxieuse de se faire à ce genre de vie passablement différent de celui qu'elle avait vécu au couvent d'Hochelaga – dont les mérites de l'enseignement égalent tout de même ceux du couvent de Chatham et n'en diffèrent que par le but que se proposent les élèves –, Ninie prit plusieurs jours pour s'habituer à ce nouveau règlement et pour chasser de son esprit tous ses souvenirs qui l'empêchaient de se livrer à ses études. Elle eut à combattre l'ennui; elle se sentait si loin de tout ce qui lui était cher; mais son

Le Couvent des Ursulines "The Pines" — Chatham. Ont.

tempérament énergique lui fit surmonter, sans trop de difficultés et le chagrin qui envahissait son âme et tous les petits obstacles qu'une jeune fille, en pareille occasion, doit rencontrer inévitablement sur sa route.

Un soir, alors que les élèves étaient rendues au dortoir, Ninie, comme prise de découragement, le cœur suffoqué par la peine qu'elle ressentait de se voir si loin de sa famille, fondit en larmes. Le sommeil ne pouvait pas venir; sa tête était remplie de fièvre et les sanglots qu'elle étouffait sous l'oreiller attirèrent l'attention de l'une de ses compagnes qui, aussitôt, alla prévenir Mademoiselle Howell, l'institutrice de littérature anglaise de Ninie, qui s'empressa d'aller auprès d'elle et lui demanda :

– Mais, mademoiselle, êtes-vous malade, qu'avez-vous?

Ninie reconnut Miss Howell qui, depuis son arrivée, avait pris beaucoup d'intérêt pour l'égayer et qui, à la demande spéciale de la Révérende Sœur Supérieure, Révde Mère Claire, lui avait témoigné beaucoup d'estime et cherchait à lui rendre le séjour très agréable.

– Dites-moi, mademoiselle, qu'avez-vous, êtes-vous malade?

– Non, reprit la jeune fille, je ne suis pas malade, mais je m'ennuie. Je veux m'en retourner chez moi, demain! C'est trop ennuyeux, ici!

– C'est bien, reprit Miss Howell, vous vous en irez demain, mais comme c'est le dernier soir que vous passez ici, venez avec moi à ma chambre : nous causerons.

Toute chagrine, les yeux enflés, le mouchoir dans la figure, Ninie suivit Miss Howell qui conduisit la jeune fille à sa chambre où elle lui fit prendre une bonne tasse de thé. Après l'avoir engagée à vaincre sa gêne et ses ennuis, et faisant miroiter à ses yeux l'avenir brillant qu'elle aurait si elle continuait ses études, la Révérende Sœur Supérieure Mère Claire qui, à l'arrivée de la jeune fille, avait constaté en elle une brillante intelligence, prévenue par Miss Howell, s'était donné le trouble de se rendre à la chambre de cette dernière où elle trouva Ninie toute désolée.

– Oh! chère enfant, lui dit-elle, en anglais, il faut avoir du courage dans la vie, pour réussir. Il faut être bien brave! Il faut se faire violence à soi-même, non pas un seul instant, mais il faut persévérer dans ses résolutions; car dans la vie, vous rencontrerez d'autres difficultés sur votre route et si vous ne vous habituez pas à vaincre les difficultés dès votre jeunesse, les difficultés vous vaincront. Non, ma chère enfant, mettez cet ennui de côté, et courage! Après quelques jours, quand vous aurez fait connaissance avec vos compagnes, vous serez si heureuse! Dans la vie, il se passe bien des orages. Il faut porter ses regards bien loin et n'avoir pas peur.

Ninie, en entendant ces paroles qui n'étaient que la répétition des paroles que lui avaient dites sa mère et qui lui étaient restées gravées dans sa mémoire, reprit son calme et commença à recouvrer force et énergie et espérance et volonté.

– Soit, dit la jeune fille, je resterai et j'essaierai encore huit jours. Je vous remercie Mère Claire, vous êtes bien bonne. Je me sens mieux maintenant; vos paroles m'ont réconfortée et je me sens plus courageuse et plus ferme. J'aimerais à ne pas m'ennuyer, j'aimerais rester, car c'est un si beau couvent!

Les huit jours écoulés, Ninie était heureuse : elle aimait le couvent de Chatham! Elle aimait la localité, elle aimait le programme des études et elle obtenait des succès marqués. Elle y réussit au delà de toutes ses espérances.

Mgr Fallon, qui était l'évêque du diocèse, venait de temps à autre, en qualité officielle d'évêque et aussi en qualité de visiteur, à ce couvent où il avait ses appartements privés. Ninie croyait, par avoir entendu dire, que Mgr Fallon était l'ennemi des Canadiens français, qu'il était sévère et ne saurait regarder qu'avec mépris les deux seules Canadiennes françaises qui étaient, cette année-là, élèves au couvent de Chatham; car il avait l'habitude de faire venir à sa chambre les élèves nouvelles qui venaient de loin. Quelle ne fut pas sa surprise quand, invitées par la Révde Mère Claire, Maria-Anna Bélanger et

Ninie à venir aux appartements de Mgr Fallon pour y recevoir sa bénédiction, elle vit cet évêque à la tête chauve, à la figure ronde, l'œil exercé et ferme, le sourire intelligent et moqueur sur les lèvres, prendre dans ses mains les mains de ces deux petites Canadiennes et, en un français absolument correct quoique teint de l'accent anglais, leur demander d'où elles venaient, qui elles étaient, si elles se plaisaient et leur dire en plaisantant :

– Mes bonnes enfants, quand je reviendrai, si vous n'avez pas été de bonnes élèves, vous savez, moi, que je les déteste les Canadiens français, hé bien, je saurai être bien sévère pour vous!

Ninie pensait souvent à son ami Rogers qui lui avait promis de lui écrire.

– Que fait-il, se demandait-elle?

Elle ne savait que penser de cette absence de nouvelles!

À maintes reprises, elle avait réussi à lui écrire du couvent et à faire maller ses lettres par des élèves externes qui prenaient leur pension en dehors du couvent; mais toutes ses lettres étaient restées sans réponse. Croyant que son ami Rogers l'avait oubliée ou qu'il avait changé ses amours, Ninie en éprouva beaucoup de chagrin; sa figure était devenue triste et ses études ne furent pas aussi bien faites que d'habitude. Aussi, la Révde Soeur Directrice, se doutant que quelque chose d'anormal se passait chez la jeune fille, chercha la cause de cette tristesse qui lui semblait mystérieuse et, en faisant l'examen, un soir, de son pupitre, trouva une lettre que Ninie avait écrite à son ami Rogers et qu'elle se préparait à lui faire envoyer secrètement. Le lendemain, la Révde Soeur Directrice remit cette lettre au Révd Père Hermann, bon et saint prêtre, chapelain du couvent, qui fit demander Ninie et l'exhorta à mettre ces correspondances et ces amours de côté, chercha à lui faire comprendre qu'elle ne devait pas perdre son temps à des correspondances inutiles et qui l'exposaient à se faire renvoyer de la Maison où elle avait commencé à remporter de beaux succès dans ses études.

Malgré ces exhortations du Révd Père Hermann, Ninie, qui ne pouvait se résigner à voir son bon Rogers s'éloigner d'elle et à vivre sans aucune nouvelle de lui, essaya encore de lui faire parvenir, à Haileybury, trois ou quatre autres lettres, demandant des explications, protestant de la plus vive sincérité de son amour et lui dépeignant tout le chagrin qu'elle éprouvait de ne pas recevoir de nouvelles de lui.

Enfin, après de longs mois d'attente, après certaines demandes dans des lettres envoyées secrètement à sa mère, elle apprit que le jeune homme avait quitté Haileybury pour on ne savait où.

Ninie crut à une séparation, à un abandon volontaire de sa part. Elle fit taire son cœur, se livra courageusement de nouveau à ses études et se résigna à ne plus revoir cet ami sur qui elle fondait l'espérance d'un avenir heureux. Après avoir passé une année fructueuse dans son étude de l'anglais et de la musique, elle revint de Chatham, au milieu de sa famille qui l'attendait avec hâte, depuis surtout qu'elle lui avait annoncé, deux ou trois mois auparavant, que sa santé n'était pas des meilleures.

Mais elle était heureuse de prouver à son père que son argent n'avait pas été gaspillé, qu'elle avait employé son temps à acquérir les connaissances qu'elle désirait, un an avant, avoir. Aussi, s'empressa-t-elle de montrer à ses parents tous les prix qu'elle avait rapportés du couvent; elle s'efforçait de parler anglais et de jouer ses plus beaux morceaux de piano.

Toute la famille était fière des succès de leur petite Ninie qui n'en éprouvait pas moins d'orgueil.

CHAPITRE III

DÉBUT DANS LA VIE RÉELLE

TITRE I

HÉSITATIONS DE NINIE

Tous les débuts comportent leurs sacrifices; mais celui de la jeune fille enthousiaste et ambitieuse, sans autre appui que son propre courage et ses connaissances, est des plus pénibles. Que de privations, que de désirs restreints doit-elle s'imposer pour atteindre le succès!

Pendant le laps de temps que Ninie passa auprès de ses parents, après sa sortie du couvent, elle réfléchissait sur son avenir. Elle avait réussi le premier de ses rêves : celui d'acquérir des connaissances, de se faire instruire; il lui restait maintenant à réussir le second : celui de devenir riche et d'être reconnaissante pour ses bons parents.

Un grand vide s'était fait dans son cœur : elle vivait sans amour. Cependant, son cœur était des plus affectueux; sa nature rêveuse, idéaliste, ambitieuse même, la portait à aimer, à désirer, à espérer! Elle cherchait et appelait le bonheur!

Elle n'avait plus son ami Rogers; elle ne le voyait même plus. Plus d'une fois, elle avait traversé le lac Témiscamingue qui lui rappelait un souvenir, à la fois doux par les heures heureuses et à la fois cruel par la déception qu'elle trouvait en son premier amour, pour se rendre à Haileybury où elle espérait toujours y rencontrer un jour ou l'autre son ami Rogers. Jamais, il ne lui fut donné même de revoir cette figure qu'elle avait tant aimée et qui lui avait fait le serment de l'aimer toujours!

“Je suis en face, maintenant, de la vie réelle! Je suis en face de ce monde, pensait-elle, dans les longues heures de méditation qu’elle employait à décider de quel côté elle devait diriger ses pas. De ce monde, avec ses hypocrisies, ses pièges tendus, ses séductions, ses plaisirs, ses enivrements, ses honneurs, dont je ne connais pas à fond la nature ni les conséquences, mais qui, comme de gros nuages à l’horizon menacent d’assombrir le firmament, jette dans le ciel de mon âme, jusqu’aujourd’hui serein et calme, des brouillards dont l’humidité glace tout mon être.

Ce monde, se disait-elle, on me l’a dépeint et sur les genoux de ma mère, et au couvent; on me l’a dépeint si effrayant que j’ai peur. Une crainte instinctive me secoue tout entière et à l’heure où, toujours poussée par le rêve qui hantait mon esprit en mon bas âge et qui n’a fait que s’accroître avec les années de devenir quelqu’un, de prendre une place honorable dans la société, à l’heure où tout me sourit, où tout m’invite à faire usage des armes, des connaissances et de l’instruction que je possède maintenant, ma crainte augmente, mon courage semble faiblir et me délaisser et tout mon être chancelle.

Seule, pensive, sur les rivages de cette mer de la vie du monde réel, pour la première fois, je redoute les tempêtes et les orages qu’il me faudra essuyer. Plus je scrute l’avenir, plus je porte ma vue au loin, plus je me sens faible à lutter, à combattre. Déjà, mon cœur a essuyé une déception! Rogers, qui était pourtant si bon, si généreux, m’a délaissée sans même me donner de ses nouvelles! Mais, me redressant, fière, noble et grande, je lutterai! Je combattrai! Et je vaincrai, dit-elle.

Je vaincrai, au prix des plus durs sacrifices! Si j’avais, au moins, l’amour de mon ami Rogers, comme appui! Mais non, se disait-elle, je suis seule, délaissée! Je n’ai pas de parents assez riches pour m’aider dans l’exécution de mes desseins, je ne peux confier mes projets aux étrangers de peur qu’on ne les prenne pour des rêves, des châteaux d’Espagne. Pourtant je réussirai quand même! Je vaincrai!”

CHAPITRE III

Le temps passé loin de son ami Rogers lui avait paru long. La déception maintenant qu'elle éprouvait était si cruelle qu'elle ne pouvait se résigner à essayer de guérir la plaie faite à son cœur en recueillant les amours qui lui étaient offertes!

Tant de doux moments, tant d'heures agréables passées avec son ami Rogers étaient encore trop présents à sa mémoire pour qu'elle se décidât à accepter un autre amour.

Elle se rappelait encore, comme si c'eût été hier, le dernier baiser de Rogers lorsqu'elle quitta son pays natal pour retourner, pour la dernière année, au couvent. Elle avait encore en l'esprit ses paroles glissées à son oreille : "Ô Ninie, aime-moi, aime-moi toujours! Ne m'oublie pas, garde-moi ton cœur! Prends mon serment, mon amour te restera fidèle."

Ninie n'osait pas le croire méchant. Elle l'excusait, se disant tantôt à elle-même : "Le pauvre Rogers, peut-être a-t-il dû quitter Haileybury sur les ordres de son père qui lui aurait préparé un avenir meilleur dans une autre grande ville? Peut-être a-t-il été pris de découragement en constatant que c'était peine perdue de m'attendre pour se faire un avenir? Mais, au moins, quelle est la cause de son éloignement? Si je pouvais le savoir, se disait-elle, je serais plus forte pour faire ma décision et affronter les dangers qui seront inévitablement sur ma route!"

Pourquoi les lettres qu'elle lui avait fait parvenir si ingénieusement, au prix de sacrifices, s'exposant même à des *pensums,* étaient-elles restées sans réponse, alors qu'elle suivait ses cours au couvent? Après tant de protestations d'amour, de cet amour qu'elle mesurait jusqu'à l'infini, qu'elle croyait inépuisable, sans bornes, pourquoi, hélas, cet abandon? Pourquoi ce délaissement? Pourquoi ce silence si prolongé?

Une mélancolie indicible se traduisait sur cette figure rose et fraîche; ses grands yeux, d'habitude si pleins de vie et de gaieté, devinrent tristes et langoureux; ils ne disaient plus le courage et la fermeté comme ils le faisaient autrefois.

Lorsqu'un soir, se berçant seule dans le parterre, occupée à contempler la nature sauvage et la beauté pittoresque des environs de Guigues et du lac Témiscamingue qui lui rappelait ce doux souvenir changé en une cruelle déception, elle vit passer plusieurs jeunes filles accompagnées de leurs amis qui, le cœur rempli de joie et d'espérance, se dirigeaient du côté de Haileybury où devait avoir lieu un spectacle annoncé depuis plusieurs jours.

Ninie devint alors plus chagrine. Une larme et une autre, puis des larmes s'échappèrent de ses yeux, roulèrent sur ses joues un peu amaigries par ses hésitations et vinrent mouiller le livre de lecture qu'elle tenait dans ses mains.

C'étaient ses premières larmes de peine causées par la déception en amour.

C'étaient ses premières larmes versées au souvenir des heures si douces passées avec Rogers sur le lac Témiscamingue.

C'était sa première déception! C'était le premier obstacle que heurtait sa barque!

C'était son premier chagrin! Elle eut honte de sa faiblesse et, de nouveau, se répéta en elle-même : "Je vaincrai."

Malgré ses vingt ans, Ninie, que ses travaux d'institutrice, ses chagrins d'amour, ses réflexions sérieuses sur l'avenir avaient mûrie, avait l'apparence d'une jeune fille plus âgée qu'elle ne l'était en réalité. Elle prit alors la décision de se diriger vers Montréal où elle pourrait trouver une situation qui lui permettrait de mettre en activité toutes les connaissances qu'elle possédait; car la carrière de l'enseignement qu'elle avait d'abord embrassée ne lui permettait pas d'espérer devenir riche, l'enseignement étant à peine suffisant pour permettre à une jeune fille de vivre bien.

Que de craintes, que de soucis elle éprouva en arrivant dans cette grande ville de Montréal, privée des joies du foyer, privée des conseils de sa bonne mère, laissée seule à elle-même, n'ayant d'autres appuis que son courage et sa volonté, d'autres consolations que les joies qu'elle éprouvait dans les prières qu'elle adressait à la Vierge Marie. Ninie entreprit de se chercher une situation.

CHAPITRE III

Elle se retira dans l'une de ces maisons de bienfaisance, fondées par les Révds Pères Sulpiciens, le Saint Nom de Marie dont le Révd Père De Bray était le Directeur spirituel des jeunes filles qui s'y retiraient.

Après plusieurs jours de démarches, elle trouva un emploi peu lucratif au début, mais qui lui permettait d'espérer une augmentation de salaire et un avancement dans la carrière qu'elle choisissait.

Sa chambrette était modeste et simple; un petit lit blanc et une table en formaient tous les ornements et mobiliers.

Que de lettres écrites sur cette petite table et adressées à sa mère lui rappelant le souvenir toujours vivace de son ami Rogers!

Que d'heures passées en sa chambrette à rappeler à sa mémoire le souvenir des petits billets que lui avait écrits Rogers et des promesses de toujours l'aimer!

"Rencontrerait-elle Rogers à Montréal, se demandait-elle?" Sa présence, son sourire, son amitié lui auraient tant valu pour l'aider à supporter les ennuis qu'elle éprouvait; ses conseils l'auraient fortifiée contre les craintes qu'elle avait de se sentir en face de tous les dangers que court une jeune fille délaissée, sans parents, dans une grande ville.

Les vingt printemps avaient à peine ouvert ses yeux sur les dangers des villes, ouvert son intelligence sur l'expérience qu'il lui fallait avoir pour bien réussir. Elle eut à combattre; elle dut mettre à l'essai sa constance, sa persévérance et son application au travail.

Car gagner sa vie est déjà chose difficile à une jeune fille; mais se frayer un chemin dans la bonne société, obtenir l'estime et la confiance des hommes d'affaires, acquérir des connaissances commerciales et pratiques assez vastes pour occuper une position enviable et de confiance, voilà qui est plus difficile. La jalousie, la concurrence sont des obstacles que souvent la jeune fille doit surmonter; il arrive même parfois qu'elle reçoive de l'opposition et des difficultés de la part de ceux même qui, à plus d'un titre, devraient lui accorder leur appui et leur sympathie les plus cordiaux.

C'est dans cette petite chambre que Ninie formula tous ses rêves de succès dans les lettres qu'elle adressait à ses bons parents; c'est dans cette petite chambre que Ninie donnait libre cours à son imagination, qu'elle complétait le travail de la journée et préparait celui du lendemain. Les opérations financières étaient le genre d'affaires de son patron; aussi, comme les mathématiques n'avaient pas de secrets pour elle, cette carrière lui plut beaucoup et elle s'y livra avec ardeur et obtint succès. C'est dans cette chambre qu'elle passa de longues heures à rêver; elle croyait au bonheur. Peu à peu, son cœur recouvrit de l'espérance au fur et à mesure qu'elle gagnait beaucoup d'argent. Le souvenir de Rogers dont elle n'avait jamais pu s'expliquer la disparition ni le silence lui revenait à l'esprit. "Pourquoi, se disait-elle, ne m'écrit-il pas? Il doit savoir maintenant que je suis à Montréal! Si je pouvais seulement applaudir à ses débuts! Car, se disait-elle à elle-même, Rogers, lui, ce jeune homme de talent, a dû réussir!" Et comme Ninie avait appris récemment qu'il n'était pas marié, par l'une de ses amies qui fréquentait la famille de Rogers à Haileybury, elle était anxieuse de savoir où était Rogers.

"À ce moment, réfléchissait-elle, où je suis seule, dans ma modeste chambre, revenue fatiguée de mon ouvrage, qu'il me serait doux de pouvoir lui écrire un mot, l'assurer que je l'aime encore! Mes fatigues seraient disparues! Mes doutes, mes craintes seraient dissipées! Je serais si heureuse."

C'est là que Ninie, avec le poète Desbordes-Valmore, écrivit ces mots qui traduisaient bien ses pensées et ses sentiments :

Mon saint amour! mon cher devoir!
Si Dieu m'accordait de te voir,
Ton logis fût-il pauvre et noir,
Trop tendre pour être peureuse,
Emportant ma chaîne amoureuse.
Sais-tu bien qui serait heureuse?
C'est moi! Pardonnant aux méchants,

CHAPITRE III

Vois-tu! les mille oiseaux des champs
N'auraient mes ailes ni mes chants!

Pour te rapprendre le bonheur
Sans guide, sans haine, sans peur,
J'irais m'abattre sur ton cœur,
Ou mourir de joie à ta porte.
Ah! si vers toi, Dieu me remporte,
Vivre ou mourir pour toi, qu'importe?
Mais non! rendue à ton amour,
Vois-tu! je ne perdrais le jour,
Qu'après l'étreinte du retour.

C'est un rêve! il en faut ainsi
Pour traverser un long souci.
C'est mon cœur qui bat : le voici.
Il monte à toi comme une flamme!
Partage ce rêve, ô mon âme!
C'est une prière de femme,
C'est mon souffle en ce triste lieu,
C'est le ciel depuis notre adieu!
Prends! car c'est ma croyance en Dieu.

CHAPITRE III

DÉBUT DANS LA VIE RÉELLE

TITRE II

À MONTRÉAL

Les amitiés humaines sont inconséquentes, inconstantes, souvent cruelles.

Le lien puissant, en apparence, qui semble unir deux cœurs affectueux, est rompu par la plus légère irréflexion ou encore par une circonstance attribuée souvent à de la mauvaise foi alors qu'elle n'est due qu'à un événement fortuit.

Les moments heureux passés et goûtés en amour sont souvent changés en des heures remplies d'amertume et de chagrin.

Ninie, qui avait tant aimé, n'était devenue préoccupée que d'une chose : faire son devoir d'employée assidue au travail. Dévouée aux intérêts de son patron, elle réussissait au delà de toutes ses espérances; elle gagnait peu à peu la confiance des hommes d'affaires et captait l'attention de tous ceux qui l'approchaient; mais son cœur n'avait plus d'amour. Elle méditait souvent sur l'inanité de l'amour. Aussi, elle ne se souciait guère d'aimer. Ses distractions consistaient, en dehors de ses heures d'ouvrage, à prendre une marche, pour jouir du grand air dont ses poumons avaient besoin.

Un jour, en octobre, un jeudi après-midi, une amie invita Ninie à l'accompagner dans une visite qu'elle voulait rendre à un de ses frères, étudiant en théologie au Grand Séminaire à Montréal.

Il faisait bien beau. Les feuilles jaunies jonchaient le sol. Les promeneurs remplissaient la rue; les dames avaient revêtu leurs toilettes de fourrure pour se protéger contre l'air refroidi annonçant l'automne.

Les deux jeunes filles descendirent la rue Sherbrooke où il fut donné à Ninie, pour la première fois, d'admirer et de contempler ces magnifiques constructions, ces grands parterres remplis de bouquets et de frais gazon. Le babillement de son amie rendit à Ninie un peu de la gaieté qu'elle avait perdue depuis son arrivée à Montréal. À la vue de tous ces riches carrosses portant des êtres à la figure heureuse et ne respirant que joie et bonheur, Ninie faisait des vœux! "Moi aussi, j'en aurai de l'argent!" Mais son cœur était triste d'avoir essuyé une déception en amour : son ami Rogers lui avait causé beaucoup de peine!

Les deux jeunes filles arrivèrent au parloir du Grand Séminaire où des parents, des amis attendaient des ecclésiastiques ou conversaient avec ceux qui, de leur famille, avaient obtenu la permission de venir au parloir.

Pendant qu'elles attendaient, le Révérend M. Lecoq, alors Directeur du Grand Séminaire de théologie, apparut dans la salle d'attente et, constatant la présence de ces jeunes filles, se dirigea droit vers elle et leur demanda qui elles attendaient. Ninie répondit : "L'arrivée de son frère", alors en deuxième année. Cet échange de mots entre le Révd M. Lecoq et les deux jeunes filles attira l'attention des visiteurs et autres ecclésiastiques en visite. L'un de ceux-ci, se retournant du côté des jeunes filles, fixa les regards sur Ninie avec un mouvement de la plus grande indifférence, mais comme s'il eut douté avoir connu déjà cette figure, mais n'osa pas prêter l'attention davantage, vu qu'il était accompagné de sa mère et qu'il se trouvait en présence du Révd M. Lecoq dont les recommandations sages sur la modestie, les convenances ecclésiastiques, lui faisaient un devoir de faire taire sa curiosité.

C'était un grand jeune homme blond, à l'œil bleu, au regard doux et bon; sa figure souriante indiquait un bon cœur franc et loyal; ses manières réservées et dignes en faisaient un ecclésiastique remarquable. C'était Rogers que Ninie reconnut.

CHAPITRE III

Ninie pâlit! Elle ne put contenir son émotion; tout chez elle trahissait un malaise des plus pénibles!

– Mon amie, lui dit sa compagne, êtes-vous malade?

– Oui, reprit-elle, je me sens fort mal à l'aise : ma digestion, je crois, ne va pas du tout et j'éprouve un violent mal de tête.

Aussitôt, sa compagne salua son frère et prit congé de lui.

Elle s'aperçut, le long de la route, que Ninie était très surexcitée, nerveuse, et qu'elle pouvait à peine prononcer quelques paroles entrecoupées de soupirs qu'elle cherchait à contraindre. Ninie fit tous ses efforts pour dissimuler sa peine et, à toutes les questions que son amie lui adressait, elle ne savait que répondre : "Je suis mal à l'aise, ce n'est rien; c'est une digestion qui me fatigue."

De retour à sa chambrette, elle s'affaissa sur son lit et pleura abondamment.

Elle venait de revoir celui qui lui avait promis de l'aimer toujours! Elle venait de revoir son ami d'enfance, son bon Rogers. Elle avait tant désiré savoir ce qu'il était devenu! Jusqu'alors, elle s'était résignée à vivre sans amour, conservant toujours cependant l'espoir de revoir son bon Rogers. "Oui, c'est bien lui, se disait-elle, c'est bien mon Rogers que je viens de revoir au Grand Séminaire!" Plus d'espoir! Plus de vie pour elle, maintenant! Elle sentait son âme défaillir!

Que lui était-il arrivé pour qu'il prenne une décision aussi importante sans même lui faire part de ses projets sur son avenir? Pourquoi Rogers avait-il agi ainsi, lui, le jeune homme fier, délicat et affectueux? "Comme je regrette, se disait-elle à elle-même, de l'avoir revu! Mon cœur est tout bouleversé à la pensée que je ne verrai plus ce Rogers qui chantait avec tant de sympathie dans la voix lors de mon départ pour le couvent : "Va, petit mousse où le vent te pousse!"

Que de larmes Ninie versa dans ces heures de réflexions! Tantôt, elle prenait la décision de se faire, elle aussi, religieuse! Tantôt, elle rêvait de faire un voyage pour oublier tous ses chagrins! D'autres fois, elle pensait à retourner à son foyer pour y couler une vie de dévouement auprès de ses parents! Mais, se rappelant la décision ferme qu'elle avait prise de faire une vie sortant de l'ordinaire et tous les sacrifices qu'elle avait faits pour y parvenir jusqu'alors, elle répéta de nouveau : "Je vaincrai, je laisserai sur ma route, accrochés aux ronces des arbrisseaux que j'aurai foulés à mes pieds, les lambeaux de mon cœur, s'il le faut, et je vaincrai!"

Ninie, après avoir versé beaucoup de larmes, repassa dans sa mémoire tous les sacrifices qu'elle avait faits pour atteindre le but tant convoité de devenir quelqu'un et résolut d'oublier celui qu'elle n'avait plus le droit d'aimer puisqu'il s'était consacré à Dieu, et décida de se remettre à la poursuite de l'objet de ses rêves, et avec le poète André Chénier se dit à elle-même :

Mon beau voyage encor, est si loin de sa fin!
Je pars, et des ormeaux qui bordent le chemin,
J'ai passé les premiers, à peine,
Au banquet de la vie à peine commencé,
Un instant seulement mes lèvres ont pressé,
La coupe en mes mains, encore pleine.

Je ne suis qu'au printemps, je veux voir la moisson;
Et comme le soleil de saison en saison,
Je veux achever mon année.
Brillante sur ma tige et l'honneur du jardin
Je n'ai vu luire encor que les feux du matin,
Je veux achever ma journée.

CHAPITRE IV

LA DESTINÉE

TITRE I

LES ÉTUDES DE ROGERS

Quand nous jetons un coup d'œil autour de nous sur tous les grands événements qui se passent et qui attirent l'attention de tout le monde; quand nos oreilles sont frappées de surprise à la nouvelle que de grands malheurs sont arrivés; quand nous apprenons que des amis que nous avons connus et qui, encore hier, jouissaient de la fortune, des honneurs et de la santé, sont terrassés dans leurs honneurs, dépouillés de leurs biens et couchés dans leur cercueil; quand les journaux publient avec sensation les incendies qui ont ravagé les plus beaux édifices qui faisaient l'orgueil des villes où ils étaient érigés; quand nous sommes obligés de pleurer la perte de parents chers, ensevelis dans les flots de la mer, sans pouvoir avoir la consolation même de serrer la main de ceux qu'ils ont laissés, à leur départ, à leur foyer; quand nous voyons ces changements si soudains dans la carrière des hommes, nous sommes obligés de nous demander : l'homme a-t-il une destinée? Ses actes sont-ils la conséquences de sa propre volonté? Ou sont-ils la conséquence de sa volonté soumise à une volonté supérieure qui commande, inspire et même dicte ses ordres? C'est là une question de haute importance qu'ont étudiée bien des savants, dont ont discuté bien des philosophes et que même les théologiens n'ont pu résoudre d'une manière claire, à l'unanimité.

Nous admettons bien que La Providence peut, quand il Lui plaît, arrêter le cours des lois naturelles qu'Elle a établies : elle peut en suspendre les effets, comme elle peut les disproportionner à la cause qui les a produits. Mais je crois que nous devons nous rendre à cette évidence que La Providence accorde à certaines personnes une mission spéciale dans l'exécution de ses desseins.

Et pour réussir à faire exécuter ses désirs par la personne qu'elle a choisie pour être l'instrument de sa volonté, elle jette, sur la route du prédestiné, les épreuves qui lui semblent le plus propres à rendre le prédestiné apte à remplir la mission qu'elle veut lui confier.

Rogers avait repris ses études tout comme les autres élèves. Il était, par le Révérend Père Directeur, invité à étudier sa vocation. Il obtint succès dans ses études. Ses bonnes manières, son application au travail, ses talents le firent remarquer de ses supérieurs; d'une allure distinguée, sage et laborieux, il gagna l'estime de ses professeurs et la popularité de ses confrères.

Au début de ses études, l'âme remplie du souvenir de sa petite amie, de sa petite Ninie de qui il avait reçu, peu de jours après son entrée au collège, une lettre dans laquelle elle lui dépeignait tout le chagrin qu'elle avait éprouvé lors de leur séparation, tout l'amour qu'elle ressentait pour lui, toutes les espérances qu'elle fondait sur lui, lui promettant de garder toujours dans son cœur les serments qu'il lui avait faits de l'aimer toujours.

Malheureusement, un élève externe qui recevait ses lettres et les lui remettait fut surpris par un professeur, transmettant à Rogers cette première missive de Ninie : la lettre fut confisquée. Rogers ne put la lire ni savoir d'où elle venait; il se doutait bien cependant, qu'elle lui était envoyée par son amie. Il avait essayé de lui écrire, en sa prétendue qualité de cousin, en adressant sa missive directement au couvent de Chatham; mais la Révérende Sœur Directrice n'avait pas remis cette lettre à Ninie; loin de là, elle lui avait répondu elle-même qu'il lui valait mieux employer son temps à ses études qu'à écrire aux filles du couvent; que d'ailleurs, la jeune Ninie était à étudier sa vocation, qu'elle ne pensait plus aux plaisirs du monde et était sur le point de se décider à faire une religieuse. Cette réponse de la Révérende Soeur Directrice avait mérité à Rogers, de la part du Directeur du Collège de l'Assomption où il faisait ses études, une forte réprimande. Rogers en conçut du chagrin.

Comme il ne connaissait pas l'adresse personnelle de la jeune fille qui ne l'avait indiquée que sur la première note qu'elle lui avait adressée, Rogers, à deux ou trois reprises, avait essayé encore en adressant ses réponses à la poste restante, à Chatham, mais ses correspondances furent ouvertes et remises à la Directrice du Couvent.

Tout ce mélange de correspondances non rendues à destination fit réfléchir Rogers qui crut à de l'oubli ou à de l'indifférence du côté de Ninie; il éprouva de cette séparation un chagrin mortel!

Toutes ces belles promenades qu'il avait faites avec la jeune fille lui revenaient à l'esprit; les larmes qu'il avait versées lors du départ de Ninie pour le couvent, la décision qu'il avait prise de reprendre ses cours pour se faire médecin ou avocat, dans l'unique but de conquérir et de garder son amour en se rendant digne d'elle et de son avenir, lui revenaient à la mémoire!

"Ma chère Ninie, se disait-il souvent en lui-même, m'a oublié; comment a-t-elle pu si facilement jeter au panier de l'oubli tous ces beaux souvenirs, toutes les promesses qu'elle m'a faites de me garder son amour! Ne se rappelle-t-elle donc plus les heures agréables passées dans le jardin de son père alors que nous nous faisions nos premières déclarations d'amour, scellées sur les eaux du lac Témiscamingue? Ne se rappelle-t-elle donc pas combien mon cœur était serré de chagrin et de peine quand, la veille de son départ pour le couvent, j'ai dû chanter : "Va, petit mousse où le vent te pousse"!"

Rogers ne pouvait plus s'expliquer cette conduite de Ninie. "Ô inconstance du cœur de la femme", se disait-il à lui-même!

Son cœur, en proie à la plus amère déception, souffrit beaucoup de cette indifférence de son amie qu'il attribuait à de la mauvaise foi ou à de la légèreté. Il devint triste, plus sérieux, et de longs mois passés dans cette solitude le firent réfléchir et tourner les yeux et son amour vers le Tout-Puissant. Les

Directeurs constatèrent avec joie que Rogers devenait plus pieux et aussi mirent-ils ses parents au courant du changement qui s'était opéré chez leur fils.

Les parents de Rogers, qui croyaient avoir l'honneur et la joie de voir leur fils diriger ses pas vers la prêtrise, écoutèrent les avis des Directeurs qui l'envoyèrent passer ses vacances chez un oncle, curé dans une paroisse avoisinant la ville de Toronto, où Rogers était tenu à l'écart des compagnies des jeunes filles et ne prenait de distractions que celles que lui accordait son oncle. Il était ainsi dans l'impossibilité de rencontrer la jeune fille qui l'avait tant aimé et à qui il avait juré une éternelle amitié.

Peu à peu rafraîchie par les sages conseils de son oncle le Curé, son âme se tourna vers les goûts de la vie ecclésiastique. Désillusionné des beautés de l'amour, détaché de l'attrait du monde, Rogers tenait une conduite exemplaire : il servait la messe, observait les jours de jeûne et suivait en tous points le règlement que son oncle lui avait tracé. Il se préparait, par la prière et la mortification, à bien connaître sa vocation.

La monotonie de ce genre de vie sédentaire, après une année passée dans la solitude du collège et les études arides de la philosophie, poussa Rogers au découragement; mais gêné par les sacrifices d'argent que son oncle le Curé faisait pour lui, pour aider son père, ainsi que par les espérances d'un avenir heureux, il n'osa divulguer à son oncle tout le trouble qui envahissait son âme.

Un jour, deux jeunes filles de l'endroit, que Rogers avait eu le plaisir d'entretenir, en l'absence momentanée de son oncle, alors qu'elles étaient venues au presbytère pour affaires concernant l'achat d'une bannière pour la confrérie des Enfants de Marie, se présentèrent chez M. le Curé juste au moment où il était à converser avec son neveu, lui révélant toutes les joies dont le cœur de prêtre est inondé en faisant bien ses devoirs de prêtre.

CHAPITRE IV

Elles se présentaient pour inviter le Curé à une partie d'euchre donnée dans l'une des braves familles du village, le priant de bien vouloir se faire accompagner de son neveu.

"Ce sera, M. le Curé, dit la plus jolie d'elles, une agréable distraction pour votre neveu M. Rogers; ses vacances vont se terminer bientôt et nous essaierons de l'égayer quelque peu avant qu'il retourne à ses études; permettez-lui, M. le Curé, cette petite sortie. Nous ferons en sorte qu'il ne trouve pas le temps trop long; ce nous serait agréable de causer avec M. Rogers, il est si gentil!"

Rogers, qui était attentif aux paroles de cette jeune fille, rougit subitement quand il entendit le compliment qui lui était adressé.

Comme hésitant un moment pour donner le temps à son oncle de répondre : "Je vous remercie beaucoup, mesdemoiselles, de votre aimable invitation; je ne saurais l'accepter avant que d'abord mon oncle, le Curé, ait répondu lui-même à l'invitation que vous lui avez adressée."

M. le Curé, prenant un air sérieux : "Mes bonnes amies : ce serait vraiment un grand plaisir pour moi d'assister à cette partie d'euchre chez M. Howard, car c'est une brave famille que la famille de M. Howard et, de plus, M. Howard est un de mes bons paroissiens et un de mes amis! Mais, je ne sais pas si je pourrai ce soir m'y rendre, car ma migraine m'a fait souffrir tout l'après-midi; je m'étais proposé d'aller prendre de l'exercice, ce soir! À tout événement, mesdemoiselles, dites à M. Howard que je ferai mon possible pour y assister."

Les deux jeunes filles ayant salué et M. le Curé et M. Rogers se retirèrent en causant amicalement.

– Ces petites effrontées! dit M. le Curé à son neveu; elles viennent pousser l'audace jusqu'à vouloir venir courir après les garçons jusqu'ici. Il y en aura bien assez de garçons, à cette soirée! L'un de ces dimanches, je leur donnerai pourtant, à ces petites écervelées, une leçon qui leur servira longtemps!

Rogers fut tout désappointé de l'attitude de son oncle.

– Mais M. le Curé, nous pourrions peut-être aller saluer cette famille Howard, et jouer une partie de cartes seulement; cela ferait, sans aucun doute, grand plaisir à M. Howard qui, je l'ai remarqué, a beaucoup d'estime pour vous! L'autre jour, après votre messe, tandis que vous étiez occupé à l'assemblée des marguilliers, il est venu m'apporter une belle boîte de cigares et a passé plus d'une heure à converser avec moi dans l'espérance de vous voir!

– Oh! mon cher neveu, je t'assure que M. Howard me connaît; nous irons l'un de ces jours saluer cette famille avant ton départ; tu as une vocation ecclésiastique et je n'aurais pas voulu t'exposer à perdre cette vocation en te mettant au contact de ces têtes légères qui peuvent tourner le cœur d'un jeune homme comme toi!

Rogers se sentit amèrement contrarié! Son cœur de jeune homme, à la vue de la gentillesse de ces demoiselles qui lui avaient parlé avec tant de déférence et d'affection, avait senti en lui-même comme une flamme de feu d'amour se réveiller, et se dit à lui-même : "Oh! J'ai des doutes sur ma vocation! Faut-il, se dit-il à lui-même, pour étudier sa vocation, se priver de toutes les joies, plaisirs même permis, pour rester comme emprisonné dans ce presbytère soumis à la rigueur d'un règlement si sévère et ne goûtant d'autres distractions que celle d'une conversation avec ce vieillard que je ne peux contredire et à qui je ne peux désobéir, pas même sur les sujets les plus indifférents?"

Son oncle le Curé, constatant l'étendue du chagrin de Rogers, qui pourtant faisait tous ses efforts pour le dissimuler, s'adressa à Rogers :

– Viens avec moi, lui dit-il, en descendant l'escalier de la véranda; prends ta ligne et les rames, nous irons prendre de l'exercice, un tour de chaloupe, une partie de pêche, et une bonne pipée de tabac, voilà qui sera bien plus à propos, va, mon garçon!

"LES LIGNES ÉTAIENT TENDUES,
MR. LE CURÉ CHARGEAIT LES
PIPES DE TABAC".

À cette invitation, le jeune Rogers dut obéir et suivre M. le Curé dans la direction de la rivière, à quelque dix minutes de marche.

C'était une belle journée du mois d'août. Il faisait très chaud; les eaux de la rivière étaient calmes; le ciel était clair, à peine quelques légers nuages flottaient, poussés par une légère brise, sous le firmament, dans la direction du soleil sur le point de disparaître derrière les montagnes.

C'était partout silence : seuls les cris de l'alouette, le ronflement de la grenouille et des wawarons venaient troubler la solitude du rivage de la rivière.

Rogers détacha la chaloupe ancrée selon l'habitude et tous deux prirent place; Rogers tenait les avirons.

Les lignes étaient tendues, M. le Curé chargeait les pipes de tabac.

– Une petite prière, mon enfant, dit M. le Curé, pour bénir le Seigneur et Lui demander de nous protéger contre les accidents.

Tous deux agenouillés dans la chaloupe glissant légèrement sur les eaux prièrent quelques instants.

M. le Curé essaya de ramener la gaieté dans le cœur de son neveu et se montra d'une affabilité plus qu'ordinaire. Rogers s'efforçait de témoigner beaucoup d'intérêt au récit des histoires drôles que M. le Curé lui racontait et qu'il essayait d'enjoliver. Mais quel glaive dans son cœur! Quel combat se livrait en cette âme de jeune homme dont on voulait faire un prêtre uniquement parce qu'il était bon et affectueux! Il pleuvait à verse dans le cœur de Rogers qui, se voyant les avirons dans les mains mêmes qui avaient conduit les avirons de l'embarcation où était assise devant lui sa chère Ninie, sa chère amie dont il n'avait pu s'expliquer l'indifférence ou la séparation, sur les eaux du lac Témiscamingue, se livrait à de sérieuses réflexions.

Quel contraste saisissant pour lui entre ces deux scènes!

CHAPITRE IV

"Le beau lac Témiscamingue, se disait-il! Toi, tu m'as rendu au cœur de la joie, du bonheur! Tu as empreint, dans mon âme, des souvenirs qu'aucune figure ni par ses attraits ni par ses beautés ne saurait effacer! Tu m'as fait goûter les heures les plus douces, les plus agréables de ma vie! Qu'elle était belle! Qu'elle était bonne! Qu'elle était douce, la jeune fille assise dans ma chaloupe! Qu'il était délicat le parfum qui s'exhalait des roses qu'elle tenait dans ses mains! Qu'il était bien fait le bouquet qu'elle fixa à mon habit! Qu'elles étaient douces, fraîches et vermeilles, les joues de celle qui reçut de moi et mon premier baiser et mes premières déclarations d'amour! Que les eaux du lac Témiscamingue étaient donc limpides! Qu'il était admirable cet horizon ondulé des crêtes des montagnes qui entourent mon village natal Guigues et la ville Haileybury où j'ai laissé ma famille qui me croit heureux en ce moment alors que la plus terrible tentation ou faiblesse ou désespoir s'empare de moi! Qu'ils sont laids les rivages de cette rivière! Qu'il est vilain, mon oncle, de vouloir me priver de ma liberté pour me choisir mon état de vie! Quelle odeur nauséabonde s'exhale de ces petites forêts, étendues le long de cette rivière! Quelle tristesse dans cette conversation où il me faut ne parler que de Dieu ou rire au récit de vieilles histoires de mon grand-père! Grand Dieu! s'écriait en lui-même Rogers, la mort dans l'âme, je me meurs de peine et de chagrin! La lune témoin de nos premiers serments d'amour sur les eaux du lac Témiscamingne, où est-elle? Je ne la vois pas! Où est donc ma Ninie?"

Rogers, de retour au presbytère après une veillée des plus tristes de sa vie, monta à sa chambre après avoir passé une bonne demi-heure à prier avec le bon Curé, et là, se livra à de sérieuses méditations!

Le matin, son oreiller était tout mouillé, arrosé des larmes qu'il avait versées pendant la nuit; ses joues étaient amaigries et ses yeux avaient perdu de leur éclat habituel. Rogers était plus indécis que jamais : il pensait à sa vocation!

Il avait pensé à Ninie!

Il avait rêvé au lac Témiscamingue.

CHAPITRE IV

LA DESTINÉE

TITRE II

RETOUR DE ROGERS AU COLLÈGE

Les vacances de Rogers touchaient à leur fin. Sa mère lui écrivit que, le jour de l'entrée des élèves du collège de l'Assomption, elle l'attendrait chez une parente, à Joliette. Trois semaines encore et il devait reprendre ses cours pour terminer sa philosophie. Il devait aussi, cette année-là, se fixer sur le genre de vie qu'il embrasserait; mais comme il n'était pas encore tout à fait décidé à se vouer à l'état ecclésiastique et que ses parents croyaient que c'était une affaire réglée et qu'ils annonçaient déjà le bonheur de voir leur fils se préparer à devenir prêtre, Rogers sentait sa liberté de plus en plus restreinte!

Le vieil oncle le Curé, sans y mettre de l'autorité, car cela n'aurait pas eu son effet, redoublait de ferveur dans ses prières qu'il faisait en commun avec Rogers pour demander la grâce que son neveu ait une vocation ecclésiastique! Il cherchait à infuser de plus en plus, dans l'âme de son neveu, tous les principes de la pénitence et de la prière, de l'abnégation et des sacrifices. Sa vieille mère, dans les lettres qu'elle lui adressait, ne pouvait lui dissimuler toute la joie qu'elle aurait si Dieu lui faisait la faveur de voir, avant de mourir, son cher Rogers, prêtre!

Naturellement, le bon cœur de Rogers ne se montrait pas indifférent à toutes les marques d'estime et de considération dont il était l'objet mais, plus il touchait à la fin des vacances, plus il lui répugnait de se voir obligé de retourner au collège où il devait choisir sa vocation sans avoir pu jamais revoir celle dont le souvenir seul causait tant de ravages dans son cœur! Il aurait aimé à recevoir de sa bouche même les raisons qui l'avaient fait le délaisser et l'abandonner; il aurait aimé à recevoir de son regard une flamme sinon d'amour, au moins d'estime; il aurait aimé à recueillir sur ses lèvres un dernier baiser, baiser chaste de paix, serment d'oubli et de discrétion, foi jurée de toujours s'estimer!

“Si je pouvais, se disait-il, seulement la voir, il me semble que les combats qui se livrent dans mon cœur cesseraient et, que le calme étant rétabli dans mon âme, je pourrais plus facilement me vouer au Seigneur!” Il avait essayé plus d'une fois, timidement, à parler à son oncle de sa vocation, pour finir par lui révéler toute la source de ses peines et de ses profondes misères. Mais le vieillard lui avait répondu de ne pas s'arrêter à ces considérations, que ce n'étaient que des tentations que le démon lui tendaient!

Dès lors, Rogers adressa à son amie Ninie, qu'il croyait encore à Guigues, mais qui était rendue à Montréal où elle occupait une position de confiance, une petite poésie de Paul Déroulède au bas de laquelle il signa son nom en y ajoutant les mots : “Si tu daignes me répondre, adresse ta missive à poste restante, ici, où je passe mes vacances!” Cette petite poésie se lisait ainsi :

Si tu veux de ma vie, un jour et puis un jour,
Hôtesse passagère, entre dans ma demeure,
Et des pesants soucis, qui font mon front si lourd,
J'aurai garde qu'aucun te touche ni t'effleure.
Mais, comme ces vieux vins que l'on verse au retour
Je verserai pour toi, ma gaieté la meilleure.
Si tu veux de ma vie, un jour et puis un jour.

Si tu veux de ma vie un mois et puis un mois,
Ce pacte de plaisir peut se signer encore.
Nous choisirons avril et la senteur des bois,
Juin et ses douces nuits avec sa douce aurore.
Puis, nous nous quitterons, sans ces sombres émois,
Fleurs de regret qu'un trop long bonheur fait éclore.
Si tu veux de ma vie un mois et puis un mois.

CHAPITRE IV

Si tu veux de ma vie, un an et puis un an,
Ô vanité! tout est vanité! dit l'Apôtre!
Tous nos beaux feux de joie, à l'éclat rayonnant,
Pourraient bien être éteints d'une saison à l'autre,
Mais tant qu'ils flamberont, comme ils font maintenant,
Quel sort sera le tien! quel délice le nôtre!
Si tu veux de ma vie un an et puis un an.

Mais si tu veux ma vie entière et pour toujours,
Oh! alors laisse-moi redevenir moi-même,
Et triste sans contraintes et morne sans détours,
Je t'ouvrirai le fond de ma douleur suprême!
Et ta douleur sera mon suprême secours,
Car c'est ainsi qu'on souffre et c'est ainsi qu'on aime,
Quand on veut une vie entière et pour toujours.

Rogers n'aurait pas aimé que cette lettre tombât entre les mains de personnes étrangères; aussi, avait-il eu le soin de la faire recommander, mais les parents de la jeune fille, à Guigues, en apprenant du maître des postes que Ninie avait, à son adresse, une lettre recommandée, obtinrent cette lettre qu'ils promirent de remettre à leur fille. Doutant de l'importance de cette lettre recommandée, ils l'ouvrirent.

– Une lettre de Rogers à ma fille, dit la mère de Ninie! Comment se fait-il? Ils se sont donc écrit pendant tout ce temps! Et encore assez amoureuse cette poésie?

– Bah! lui répondit le père, des enfantillages! Des amourettes de jeunes gens! Rogers n'a pas fini son cours! Ninie qui n'a pas encore ses vingt ans! Voyons, jette-moi cela au feu.

– Non, oh! Non! par exemple, je ne jetterai pas cette lettre au feu! Que la mère de Rogers ne me dise pas que c'est ma fille qui court après son garçon! J'ai la preuve dans les mains! On ne sait pas ce qui peut arriver! Amis aujourd'hui, ennemis demain, et alors la mère de Rogers sera tentée de prendre fait et cause pour son fils.

Quelques jours écoulés, la mère de Rogers, qui avait pris le train à Haileybury pour se rendre à Latchford, vint saluer la mère de Ninie, se dirigeant à North Bay, et les deux femmes causèrent. C'est là que la mère de Rogers apprit à la mère de Ninie que son fils avait eu bien des prix, des félicitations de ses professeurs, en un mot qu'il était à terminer, cette année-là, son cours d'étude et se destinait à se faire prêtre!

La mère de Ninie, comme blessée par cette déclaration aussi prématurée qu'orgueilleuse :

– Comment, Madame, vous dites que votre fils se destine à se faire prêtre! Je ne saurais le croire!

Tout étonnée, la mère de Rogers lui demanda des explications.

– Il est vrai, Madame, que votre fils a une bonne éducation. Je l'ai toujours trouvé bien gentil. Il est venu rendre visite à ma fille et s'est toujours montré d'une amabilité rare : seulement, je ne veux pas le désapprécier à vos yeux, mais je ne saurais croire qu'il pense à la prêtrise puisqu'il pense encore aux filles! Il vient encore, cette semaine même, d'écrire à ma fille; c'est moi qui ai ouvert cette lettre recommandée qui venait de votre fils, en vacances. Et tenez madame : la voici.

La mère de Rogers, reconnaissant l'écriture de son fils, faillit perdre connaissance, mais reprenant ses sens, elle trouva quelques paroles assez heureuses pour se tirer d'embarras et expliquer que la décision de Rogers n'était pas faite, mais qu'il lui avait seulement laissé entrevoir ses penchants du côté ecclésiastique!

À peine était-elle de retour à son foyer, qu'elle écrivit à son fils pour lui reprocher ce qu'elle appelait de l'inconstance et de la légèreté et lui expliquer toute l'étendue des sacrifices que la famille avait faits pour lui et, en même temps, cherchait à lui faire comprendre toute la grandeur de l'affront dont elle avait été l'objet, à son sujet, par son étourderie.

Pendant ce temps, Rogers avait-il un moment libre qu'il courait à chaque jour et quelques fois, matin et soir, au bureau des postes, anxieux de savoir si Ninie répondrait à sa lettre! Il osait espérer, car l'un de ses amis lui avait appris quelques jours passés qu'il avait rencontré Delle Ninie, à Haileybury.

CHAPITRE IV

Au lieu de recevoir une lettre de sa douce amie, il reçut cette lettre de sa mère!

Il n'en pouvait croire ses yeux!

C'en était assez pour lui faire désirer son entrée au collège! Déconcerté, découragé, démoralisé, Rogers languit à moitié mort plutôt qu'il ne vécut le reste des vacances; sa santé en fut affectée et il partit pour le collège avec, au cœur, une plaie profonde, dans l'âme, des considérations sur sa liberté contrainte et un grand dégoût pour la vie où tout n'est qu'égoïsme, honneurs faux et mensongers et spéculations sur les bons!

Se dirigeant vers l'Assomption, vers le Collège, il s'arrêta à Joliette où, tel que le lui avait écrit sa mère, il devait la rencontrer chez une parente. C'était une bien belle journée du commencement du mois de septembre! Rogers, le sourire aux lèvres, s'efforça d'être bon pour sa mère et parut ne pas être affecté par la lettre qu'elle lui avait écrite. Son père accompagnait sa mère et ne lui ménagea pas sa profonde surprise et l'indignation profonde qu'il avait ressentie à la nouvelle que son fils avait écrit à Ninie! Et alors, le père retirant à l'écart son fils Rogers lui rappela, comme l'avait fait la mère sur sa lettre, tous les sacrifices d'argent qu'il avait dû s'imposer pour le faire instruire. Rogers, dans un moment de colère, aussi capable de fierté que de sensibilité, s'adressant à son père et à sa mère :

– Pourquoi, parents, annoncez-vous partout que je me destine à devenir prêtre? Croyez-vous, par ce moyen, enchaîner ma liberté? Vous me parlez de sacrifices que vous avez faits pour moi; je l'avoue, cela coûte cher aux parents de faire instruire un garçon! Mais est-ce que cela coûte assez cher que, pour vous être reconnaissant, je doive sacrifier mes goûts, mon cœur et mes affections, et ma vie même? En faisant des sacrifices, ne faites-vous pas que votre devoir? Vous avez, vous le savez, une obligation qui découle du droit naturel et du droit divin d'aimer vos enfants, de pourvoir à leur éducation et à leur instruction dans la mesure de vos forces! Qu'avez-vous fait pour moi de plus que pour les autres enfants?

Collège de l'Assomption.

CHAPITRE IV

– Non, mon fils! lui répondit le père tout étonné des considérations que Rogers, pour la première fois de sa vie, se permettait de jeter sous les yeux de ses parents. Nous n'avons pas l'intention de te forcer à te faire prêtre! Nous voulons que tu aies toute la liberté pour choisir ton état! Mais regarde donc, réfléchis un peu, tu serais si bien; vois ton oncle le Curé, comme il est heureux; il n'a pas de troubles ni inquiétudes; il est maître de sa maison, il conduit à sa guise, il a son cheval et sa voiture, sort et rentre quand il lui plaît, il gagne de l'argent; il est certain que sa vie est assurée! Et toi, mon cher enfant, je ne te crois pas appelé dans le monde; ta nature enthousiaste et ta ténacité à ne pas vouloir reconnaître tes torts te feront faire de mauvais coups et tu t'en repentiras! Tandis qu'avec l'appui de ton oncle, ton chemin est tout tracé, cher enfant. Ouvre les yeux, tu es d'âge de réfléchir; regarde les mortalités survenues dans la famille! La vie du monde se passe si vite! Le bon Dieu ne nous a pas mis sur la terre seulement pour jouir. Prie mon enfant et choisis à ta guise ta vocation; mais comme je te l'ai dit l'an passé, pour te faire recevoir médecin, tu le sais, je ne peux pas; je ne suis pas assez riche! Choisis le genre de vie que tu voudras!

– Mes bons parents, reprit Rogers, quand je vous ai demandé de bien vouloir me faire continuer mes études, je ne me suis pas engagé à choisir l'état ecclésiastique; je veux être libre afin de ne pas être exposé à vous faire des reproches, ni à vous-mêmes ni même à ma conscience. C'est un sujet digne de considération, je le comprends très bien, mais pour bien le décider, il me faut être libre! Je n'ai aucune répugnance pour l'état ecclésiastique, mais ce n'est pas le moment pour moi de me prononcer définitivement.

Il y avait ce jour-là, à Joliette, une retraite qui se terminait après plusieurs jours d'exercices religieux!

La parente qui avait la visite de Rogers et de ses parents les invita à assister à la clôture de cette retraite pour laquelle des cérémonies spéciales avaient été préparées.

Rendus à l'église, ils prirent place au milieu d'une foule très nombreuse. Après un éloquent sermon de circonstance prononcé par l'évêque Archambault, de regretté mémoire, le Révérend M. Dugas, dont la voix superbe avait été maintes fois admirée dans cette église, rendit, au Salut du Très Saint Sacrement, avec plus d'âme que jamais, le Cantique :

Coeur transpercé pour nous, des crimes de la terre,
Ne vous souvenez plus, ne vous souvenez plus,
Du cri qui retentit jadis sur le calvaire,
Souvenez-vous, souvenez-vous Jésus.

Ces paroles laissèrent une profonde impression dans l'âme de Rogers qui aimait tant le chant et la musique! Il fut pris soudain d'un désir ardent de se vouer aux services des saints autels par le spectacle grandiose et imposant de cette église, toute pavoisée de drapeaux et de lumières, aux autels décorés de bouquets et de fleurs, illuminés par des centaines de cierges dont la flamme vacillante répandait sur la figure des assistants, au chœur, des rayons de joie et de bonheur.

Rogers envia le sort de ces prêtres agenouillés au pied de Jésus-Hostie qui semblaient, comme lui, impressionnés par la beauté des cérémonies pieuses et transportés dans les méditations où les considérations humaines et mondaines se perdent en de vaines et folles appréciations, incapables de comprendre tout le bonheur que les âmes éprouvent dans la prière contemplative!

Rogers se rendit au collège de l'Assomption, emportant dans son cœur un grand souvenir de cette cérémonie qui l'avait tant impressionné et des paroles du chant sacré qu'il avait entendu chanter avec tant de pieux recueillements par le Révd M. Dugas. Rogers se livra à ses études avec non moins d'ardeur que par les années passées; seulement, il paraissait plus pensif et plus rêveur! Il n'était plus du tout ce jeune homme à la figure souriante et gaie; il apparaissait toujours avec un air grave et réfléchi, tout comme s'il eut été continuellement préoccupé d'une idée qui devait exercer sur lui une influence considérable.

Un jour, le Révérend M. Riopelle, professeur de philosophie, qui avait remarqué cet air de tristesse peint sur la figure de Rogers, l'amena avec lui dans le grand parterre qui se trouve en avant du collège et là, assis sous un gros orme, le pressa de questions confidentielles :

– Mon enfant, lui dit M. Riopelle, avez- vous confiance en moi?

– Oh! Oui, répondit vivement Rogers; vous avez toute ma confiance!

– Je ne vous veux que du bien, Rogers, et si je me permets de vous faire certaines questions, je vous prie de croire que je vous les pose dans votre intérêt et dans l'unique but de vous rendre la gaieté que, j'ai remarqué, vous avez perdue.

– Mais, mon Père, je dois vous dire que je ne sais pas ce dont vous voulez me parler. Je suis tout disposé à vous répondre.

– Mes questions vous paraîtront peut-être indiscrètes, mais veuillez vous convaincre que je ne m'intéresse à vous que pour vous rendre le bonheur! Les années que vous avez passées, la conduite exemplaire que vous avez tenue, l'amour et l'intérêt et l'attachement que vous avez toujours manifestés pour votre Alma Mater m'ont toujours porté à vous estimer et vraiment, j'éprouve moi-même du chagrin de vous voir, depuis les quelques semaines que vous êtes arrivé au milieu de nous, avec une figure aussi triste et aussi continuellement préoccupée à résoudre un problème qui ne peut être autre que celui que je redoute comme étant votre cauchemar!

– Mon père, je n'ai aucun chagrin!

– Parlez-moi franchement, ouvrez-moi votre cœur; veuillez, je vous en prie, être persuadé que le cœur de prêtre de celui qui vous parle est bon et que vous n'aurez jamais de meilleur ami que lui. Si vous n'avez pas de chagrin, vous avez un poids lourd sur votre cœur qui vous empêche de sourire et de respirer à l'aise; parlez-moi, dites-moi quelles sont les causes de votre tristesse?

MON ENFANT LUI DIT M. RIOPELLE,
AVEZ-VOUS CONFIANCE EN MOI ?"

CHAPITRE IV

Rogers, comme vaincu par les paroles du Révérend M. Riopelle qui lui parlait sur un ton si intéressé à son bonheur et si amical, avec des larmes aux yeux et une voix entrecoupée de sanglots, la tête baissée vers la terre, brisant entre ses doigts tout tremblants des bouts de branches sèches qu'il avait ramassées pour se donner une contenance, lui répondit :

– Puisqu'il en est ainsi, je vous avouerai, mon Père, que mon âme est toute troublée; dans quelques mois, je serai appelé à sortir de cette maison ou à m'y enfermer pour toujours, pour la Vie. Mon père, cette idée me bouleverse! Je ne sais que faire!

– Mais, mon enfant, avez-vous bien prié la Sainte Vierge de vous protéger? Avez-vous invoqué le Saint-Esprit de vous éclairer sur la décision que vous devez prendre?

– Oui, mon père, et plus il semblerait que je prie, plus il semblerait que mon cœur est indécis!

– Quelles sont vos idées? Quelles sont vos tentations, vos désirs, mon enfant?

– Je sais, mon père, que j'ai une nature très enthousiaste, affectueuse, ardente et bonne; à certaines heures, je me sens attiré vers l'état ecclésiastique, je me sens pris de dégoût pour toutes les vanités du monde où alors je ne vois que calcul, intérêt et égoïsme; je me sens appelé à faire du bien et à rendre les autres heureux; par d'autres moments, mon âme sensitive se sent remplie d'affections les plus contraires; je me surprends à rêver, à désirer de posséder un "Home" bien propre, bien meublé, à désirer d'être médecin, qui aurait la confiance, l'amour d'une bonne épouse, et là, je me surprends à croire sérieusement que je serais heureux, que je pourrais ainsi, tout comme dans l'état ecclésiastique, faire du bien aux autres et sauver mon âme!

– Mon enfant, lui dit M. Riopelle, vos deux désirs sont bien légitimes et vous pouvez, selon vos aptitudes et vos goûts, adopter l'un ou l'autre genre de vie. Écoutez bien l'appel du Seigneur. S'il vous appelle à lui, ne résistez pas à sa voix! Priez, priez beaucoup; mais de grâce, mon enfant, ne vous tourmentez pas l'esprit! Vous ne sauriez trouver des perles dans de l'eau trouble! Vous ne sauriez trouver non plus la voie que vous trace le Seigneur si votre cœur est continuellement en ébullition de sentiments vivaces et si votre esprit est toujours obsédé par un travail qui n'a pas de repos! Calmez-vous, remettez-vous à vos études. Prenez les choses de sang-froid, et priez! Qu'est-ce qui peut vous empêcher de choisir l'un ou l'autre de ces états que vous mentionnez pour être celui le plus conforme à votre goût, à vos aptitudes; le fait est qu'il y a beaucoup de ressemblance entre le Prêtre et le Médecin : le premier est le médecin des âmes, le second est le médecin des corps et très souvent, ils sont appelés à exercer leur ministère en même temps et dans une commune action!

– Oh! mon cher Père, reprit Rogers, si je pouvais choisir! Mais je crains de ne pas pouvoir!

– Pourquoi, Rogers?

– Je vais vous expliquer cela, mon père! Mes parents, sans mettre une objection des plus sérieuses à ma décision de me faire médecin, m'apprennent maintenant qu'ils n'ont pas assez d'argent pour me pousser dans cette carrière; j'ai repris mes cours d'études uniquement parce que j'aimais, à la folie, une jeune fille de par chez nous. Je voulais me rendre digne d'elle. Elle retournait au couvent terminer ses études et je voulais aussi terminer les miennes dans mon désir de me faire un avenir, plus tard, avec elle!

– Où est-elle maintenant, cette jeune fille?

– Je ne sais pas, mon père, je l'ai perdue de vue; mais son seul souvenir me trouble et le cœur et la tête! Sa séparation m'a été si cruelle que j'avais résolu de me faire prêtre tout d'abord et j'avais confié ce secret, cette décision brusque, peut-être trop brusque, à mes parents qui, alors fous de joie, ont par la suite utilisé tous les moyens qu'ils avaient à leur disposition pour me pousser dans cette carrière qui, je le comprends, les aurait honorés; et, de concert avec mon oncle le Curé que vous connaissez, ils ont tant fait que je suis sous l'impression que ma liberté est contrainte, que je ne suis plus libre! Pourtant j'aime le service des Saints Autels, j'aime la prière, j'aime la pénitence! J'abhorre le blasphème! J'aime ma religion et tout ce qui la touche de près ou de loin. J'ai une dévotion spéciale pour la Vierge Marie. Mais toujours je ne suis pas plus avancé! J'hésite et je suis triste, mon père!

– Mon enfant, l'aimez-vous encore cette jeune fille dont vous me parliez?

– Oui, reprit Rogers avec un air de franchise loyale, je l'aime; je l'aimerais si je devais aller dans le monde. Mais je ne l'ai pas revue depuis bientôt trois ans. Je ne sais ce qu'elle est devenue. Mais ce qui m'empêche d'embrasser la carrière ecclésiastique sans beaucoup réfléchir, c'est que je crois qu'on m'a envoyé passer mes vacances chez mon oncle le Curé pour ne pas me permettre de revoir cette jeune fille que j'adorais; pourtant elle était de bonne famille, bien gentille. Et si vous saviez comme je me suis ennuyé chez mon oncle qui, bien qu'il fût bon pour moi, m'imposait un régime de vie de religieux! Quelles tristes vacances j'ai passées! C'est à peine si j'ai eu le plaisir de pouvoir aller revoir, une journée seulement, la maison de papa, mon village et ce beau lac Témiscamingue!

– Oh! mon enfant, promettez-moi, voulez-vous, promettez-moi seulement d'être bien gai, comme jamais, promettez-moi de suspendre toutes vos réflexions. Jouez comme les autres écoliers, laissez reposer votre cœur et votre esprit. Que le calme rentre dans vos pensées! Priez le Seigneur de vous aider; ne faites plus d'efforts d'imagination. Je vous assure que si votre vocation est d'être médecin, le bon Dieu vous fournira les moyens et l'argent de le devenir si vous le servez bien! Accomplissez bien vos devoirs, obéissez à votre règlement et tout ira bien. Oh! allons, courage, mon enfant.

Rogers, regagnant la salle de récréation où les élèves étaient occupés, les uns à faire la promenade, les autres à jouer au billard, les autres enfin à faire de la musique, monta quelques minutes à la chapelle et là, prosterné devant le tabernacle, Rogers pria avec Pierre Corneille :

AMOUR VAINQUEUR

Parle, parle, Seigneur, ton serviteur écoute :
Je dis ton serviteur, car enfin je le suis;
Je le suis, je veux l'être, et marcher dans ta route
Et les jours et la nuit.

Remplis-moi d'un esprit qui me fasse comprendre
Ce qu'ordonnent de moi tes saintes volontés,
Et réduis mes désirs au seul désir d'entendre
Tes hautes vérités.

Mais désarme d'éclairs, ta divine éloquence,
Fais-la couler sans bruit au milieu de mon cœur,
Qu'elle ait de la rosée et la vive abondance
Et l'aimable douceur.

Quoique tu sois le seul qu'ici-bas je redoute
C'est toi seul qu'ici-bas, je souhaite d'ouïr,
Parle donc, ô mon Dieu! ton serviteur écoute
Et te veut obéir.

Parle donc, ô mon Dieu, ton serviteur fidèle,
Pour écouter ta voix, réunit tous ses sens,
Et trouve les douceurs de la vie éternelle
En ces divins accents.

Parle pour consoler mon âme inquiète;
Parle pour la conduire à quelque amendement;
Parle afin que ta gloire ainsi plus exaltée
Croisse éternellement.

CHAPITRE IV

LA DESTINÉE

TITRE III

LA VOCATION

L'indécision est la pire des conditions. L'âme indécise subit les plus cruels tourments. Tantôt réfléchissant aux hautes vérités éternelles, elle se laisse emporter sous le souffle de l'amour divin vers les régions d'ordre purement spirituel et, comme alors détachée de tous les attraits, de toutes les séductions du monde, elle plane dans la jouissance que procure la contemplation des bienfaits et de la bonté de l'Être Suprême au-dessus de tout ce qui est matériel, s'envole loin de toutes les considérations des passions humaines. Tantôt, comme fatiguée de la monotonie et des sacrifices à chaque jour renouvelés, de la contrainte de ses désirs, l'âme perd de vue son idéal et s'affaisse soudainement pour suivre le torrent toujours croissant des hommes qui n'ont jamais cherché à s'élever au-dessus de leurs passions!

Qu'ils sont faibles, ceux qui se laissent dominer par leurs passions! Qu'ils sont orgueilleux ceux qui croient pouvoir ne jamais succomber! Qu'ils sont arrogants ceux qui, se croyant forts, se vantent de n'avoir jamais succombé et n'ont pour leur prochain, sur leurs langues, que des paroles de critiques ou de mépris!

Rogers finissait sa philosophie. Ses études de préparation au baccalauréat lui paraissaient bien rudes; il n'obtenait pas tout à fait le même succès que dans les années passées! Il travaillait cependant plus fort, mais son âme indécise lui apportait souvent des distractions qui venaient l'interrompre dans ses études.

Il aimait l'état ecclésiastique; il aurait aimé la vie du monde. Il subissait fréquemment l'influence des belles cérémonies à l'occasion des fêtes, au Collège, ou des souvenirs présentés à son esprit par son imagination, des belles promenades et des heures agréables passées avec son amie d'enfance; mais peu à peu, il perdit espoir de la revoir; il rentra en lui-même.

Après plusieurs mois d'hésitations et d'incertitudes, il se décida à diriger sa destinée vers la prêtrise et entra au Grand Séminaire de Montréal. Sa décision alors fut ferme. Rogers prenait du temps à trancher une question mais quand une fois il eut pris le parti de se vouer à l'état ecclésiastique, il fut d'une constance à toute épreuve.

Ses parents en éprouvèrent de la joie quand, pour la première fois, ils vinrent lui rendre visite au Grand Séminaire et virent leur fils Rogers gai, content, bien décidé à tout vaincre sur son passage, à supporter les pires épreuves et à se vouer au Seigneur. Lui-même leur disait : "Bien chers parents, mon sacrifice est fait; ce fut bien dur avant de me résigner. J'ai craint y perdre la raison; maintenant que tout est décidé, je marcherai gaiement vers le but que je me propose; rien ne me fera dévier de ma ligne de conduite. Advienne que pourra! Dieu l'a voulu! Que sa sainte volonté soit faite! Que son saint nom soit béni!"

CHAPITRE V

AMOURS PASSAGÈRES DE NINIE

TITRE I

NINIE EN VOYAGE

Les heures de la vie se succèdent, mais ne se ressemblent pas. Certains jours que l'on croit être ceux devant nous procurer le plus de joie et de bonheur, souvent ne nous apportent que déceptions et amertume; comme certains jours que l'on croit être ceux devant nous apporter que désagréables surprises et malheurs, ne sont souvent que le baume bienfaisant qui guérit nos blessures ou ne sont qu'une douce brise qui vient sécher les sueurs encore ruisselantes sur nos fronts ou ne sont que le messager porteur de la gaieté, prélude du bonheur.

Les aspirations les plus nobles d'un cœur laborieux et honnête sont souvent incomprises et non satisfaites; les désirs les plus légitimes d'une âme à la recherche de jours heureux sont souvent consumés en de vains efforts.

Les cascades d'eau les plus puissantes, les chutes les plus bruyantes, sans se déplacer, attirent l'attention de tous ceux qui passent auprès d'elles; impétueuses, elles lancent leurs eaux sur leurs eaux dans des torrents épais et tumultueux, sans autre résultat que l'écume blanche qui recouvre la surface des eaux tombées et le bruit sourd et régulier qui se dégage de ces tourbillons à l'aspect majestueux.

Ainsi, les âmes ardentes, enthousiastes, promptes à l'action, lancent, en attirant l'attention de ceux qui les coudoient, désirs sur désirs, sentiments sur sentiments, sans autre résultat que le trouble causé dans leur intérieur par le choc de leurs diverses situations.

Le cœur est fait pour aimer. Bien qu'il se prête à diverses amours, bien qu'il aime souvent, aujourd'hui, le contraire de ce qu'il désirait aimer quelques années auparavant, il demeure lui, toujours lui, capable de donner naissance à l'amour, capable, comme la cascade ou la chute, de lancer ses eaux d'une manière impétueuse sans cependant cesser d'être lui, la source même de l'amour.

Ninie avait un cœur qui avait aimé la noblesse, la fierté, la modestie, l'ardente naïveté de Rogers; mais peu à peu désillusionnée de tous ses rêves d'espérances et versée sur le côté pratique de la vie, elle était portée à aimer, mais d'une manière superficielle. Son cœur lançait bien encore ses feux d'amour, mais d'une manière différente; elle aimait folâtrement, comme pour éloigner des forêts sombres de son cœur ce chasseur qui la poursuivait dans la solitude, à ses heures de recueillement, pour dissiper le grand souvenir qu'y avaient laissé et le sourire bon et le regard tendre de Rogers. Elle commençait à répondre, de l'œil, à tous les amis qui se présentaient poliment sur sa route.

Sa position rémunératrice la mettait en contact avec beaucoup d'hommes d'affaires; jamais, son cœur ne prit au sérieux les amours qui lui furent offertes. Que de pierres cependant, furent lancées dans son jardin! Elle répondit au sourire par un sourire, à l'oeillade par une oeillade, à une remarque amoureuse par une saillie des plus spirituelles. Elle marcha ainsi dans la vie, sans arrêter ni ses regards ni ses sentiments.

La vie lui apparut comme un *"sauve-qui-peut général"*; elle ne croyait plus aux déclamations des orateurs qui, sur les hustings, se proclamaient les champions du patriotisme. Son âme fut toute scandalisée de toutes les enquêtes faites sur le compte de certains échevins qui, ayant charge de prendre les intérêts de leurs contribuables, vendaient leurs mandats et trahissaient leurs serments les plus nobles. Elle ne croyait plus à l'amour. Depuis son arrivée à Montréal, elle avait été trop souvent témoin de procès où une jeune fille ou un jeune homme étaient délaissés par son fiancé, à la veille du mariage, par l'unique cause que les clauses du contrat de mariage ne lui apportaient pas tous les avantages qu'il avait osé espérer recevoir de cette union. Elle ne croyait plus à l'amour. Elle ne désirait pas se marier; elle avait été témoin, elle avait entendu répéter trop souvent aussi que, dans la ville de Montréal, le mariage n'était qu'une vilaine comédie dont plusieurs profitaient pour tromper leurs conjoints et leur manquer de fidélité!

Que la spéculation se faisait partout dans toutes les entreprises! Elle ne voyait que du désordre dans la société : voyous, mauvais citoyens, échevins vendus, magistrats en boisson, amis hypocrites et traîtres, filles sans mœurs, religions intéressées, apôtres de la tempérance payés, détectifs affamés, prêtres corrompus même quelquefois!

Ce fut la première impression qu'elle eut de la société de Montréal, quand elle y arriva. Aussi, passa-t-elle plusieurs mois sous l'impression que la vie du monde n'avait qu'une base : l'argent! En dehors de l'intérêt, elle n'y voyait rien! Elle avait beau étudier les mœurs de ceux qui l'approchaient, elle avait beau s'inquiéter de son avenir, elle avait beau scruter tous les plis et replis de sa conscience, elle en arrivait toujours à la même conclusion.

Avoir de l'argent, c'est commander la considération! Avoir beaucoup d'argent, c'est pouvoir se dispenser de la considération! Avoir encore beaucoup plus d'argent, c'est pouvoir commander et acheter toutes ou à peu près, toutes les autorités! Aussi, convaincue que tout, dans le monde, n'a pour base que l'argent, elle n'attacha d'abord de prix qu'à ce qui pouvait lui rapporter bénéfices. Longtemps, elle ne se sentit pas capable de sympathies; son cœur était comme remodelé à la dernière mode, mais sa nature bonne en souffrait quand, revenue à sa chambre, fatiguée de ses longues heures de travail, elle méditait sur ce changement qui s'était opéré en elle. “Je n'aurais pourtant pas ces sentiments, se disait-elle souvent, si mon premier amour, que je ne peux pas faire suivre d'autres tellement je les redoute, ne m'avait pas causé tant de chagrin!” Elle appelait de toute la force de son âme, l'amour vrai! l'amour sincère! Mais il lui paraissait impossible! Rogers seul, lui avait témoigné le vrai amour, ces vrais sentiments qui n'ont aucune autre base que la réciprocité de l'estime que deux personnes se portent.

À l'œil observateur de l'étranger, dans les grandes villes, apparaît toujours d'abord le mal, comme les sales écumes apparaissent toujours tourbillonnantes à la surface des eaux des remous! Mais celui qui y séjourne pendant plusieurs années peut se rendre compte de la multitude innombrable de bonnes âmes qui vivent au contact journalier de gens corrompus. Celui qui est dans les affaires ou employé dans l'exercice des Saints Ministères de la Religion peut constater toute la sublimité des vertus pratiquées d'une manière cachée, dans l'humilité et la modestie, non seulement dans les communautés, mais aussi dans toutes les classes de la société.

C'est ainsi que Ninie put se rendre compte de tout le bien qui se faisait à Montréal. Elle eut moins peur du monde; elle choisit ses gens, elle entra peu à peu en relation avec de bonnes familles qui lui rendirent de la joie et lui procurèrent de saines distractions; elle ne resta plus confinée dans sa petite chambrette. Les multiples promenades qu'elle eut l'occasion de faire ainsi la réconfortèrent et sortirent son âme du profond mépris qu'elle avait de la société montréalaise. Elle fit connaissance avec des gens qui n'ont pas, toujours présente à leur esprit, la pensée de faire de l'usure en profitant de la pauvreté de leur prochain pour lui prêter de l'argent à des taux exorbitants; elle rencontra sur sa route de bonnes dames charitables qui la renseignèrent sur les mœurs de différentes classes de personnes; ainsi, Ninie put jouir de la vie plus agréablement.

Aussi, elle commença à faire quelques sorties. Elle visita plusieurs villes dans notre province. Son expérience lui démontra que partout, il y a du bon et du méchant monde. Elle apprit, en voyageant, que dans les grandes villes, si l'on voit de profondes misères, si l'on voit un état excessif de pauvreté, si l'on constate que le scandale sous toutes ses formes traîne les rues, d'un autre côté, on est obligé d'ouvrir les yeux et de rester étonné à la vue de toutes les vertus pratiquées si noblement!

Un jour, elle partit en promenade pour New Bedford, Mass., visiter l'une de ses tantes; elle y passa plusieurs semaines.

Cette dame lui fit voir plusieurs villes des États-Unis que la jeune fille aimait à connaître. Elle aima les États-Unis, le climat tempéré lui allait bien! Elle aimait le genre de vie de ces villes, comme Boston et New York, où tout le monde marche droit à son but, ne s'occupant que de ses affaires, sans se préoccuper le moindrement du monde, de la conduite de ceux qui les entourent.

La belle saison de l'été, l'aspect verdoyant des parterres et des forêts, les figures épanouies et remplies de bonheur des touristes en promenades d'automobiles, le chant des milliers d'oiseaux divers, le gambadage des petits animaux domestiques, tout comme l'apparence heureuse des couples assis confortablement dans les chaloupes sillonnant les eaux ainsi que la vue de multitudes de personnes sur le rivage de la mer, livrées à toutes sortes d'amusements, jetèrent Ninie dans de sérieuses réflexions et vinrent jeter dans son âme de jeune fille comme un réveil de toutes ses amours.

Quand elle voyait cette suite d'amoureux, bras dessus bras dessous, à Coney Isand, New York, faire la promenade sur cette magnifique terrasse observatoire, en face de la mer, Ninie se sentait éprise du désir d'aimer. La compagnie de cette bonne tante lui plaisait sans doute, mais ne pouvait satisfaire le besoin de son âme qui aurait aimé à s'épancher dans la bonté du cœur d'un amant.

Le souvenir de Rogers et de leurs belles promenades et excursions lui revenait bien à l'esprit, mais impossible maintenant pour elle de songer à lui, car il était voué au Seigneur, au service des Saints Autels! Comme la gazelle qui relève la tête et prête l'oreille à certains bruits ou échos qu'elle croit entendre, Ninie relevait la tête et avait l'œil ouvert sur l'attention des garçons qui paraissaient lui porter attention. C'est ainsi, qu'accompagnée de sa tante, alors qu'elle regagnait la ville, laissant par oubli son parasol sur un banc de la terrasse où elles s'étaient assises quelques minutes, un monsieur dont le sourire avait rencontré les regards brillants de la jeune fille vint lui remettre cet objet. Ninie remercia poliment et Madame sa tante le salua, croyant reconnaître ce jeune homme :

– Pardon, monsieur, lui dit-elle en anglais, je crois vous reconnaître? N'êtes-vous pas M. Mitchell qui demeurez à New York et qui venez fréquenter, à New Bedford, mademoiselle Anita Baker, la fille de notre voisin?

– Oui, madame. Je vois que vous me reconnaissez. Je suis M. Mitchell qui rend visite à la famille Baker à New Bedford; mais je ne courtise pas mademoiselle Baker. Je vous demande pardon, madame : c'est ma cousine et, en qualité de parent, je suis heureux de lui rendre visite. Ceci, d'ailleurs, me donne une occasion de prendre un congé et de sortir de New York de temps en temps, où il fait si chaud en la saison d'été!

La tante présenta alors sa jeune nièce à M. Mitchell qui, en deux ou trois phrases, la complimenta d'avoir une nièce aussi gracieuse et ne cacha pas l'admiration qu'il avait pour cette jeune fille.

Ninie n'avait que peu remarqué ce jeune homme qui lui parut, tout d'abord, plus âgé de plusieurs années qu'elle ne l'était elle-même et qu'elle n'espérait plus rencontrer.

La conversation fut de courte durée et les deux femmes prirent place dans leur auto qui les attendait, au coin est du parc, et regagnèrent leur Hôtel Savoie où elles avaient leurs chambres.

Ninie ne pensait pas au mariage. Elle avait fait tant de sacrifices pour se faire instruire, elle avait tant fait de démarches pour se trouver une position enviable, qu'elle n'était pas prête à penser au mariage! D'ailleurs, les espérances qu'elle avait d'arriver à se créer un avenir par elle-même ne lui permettaient pas de renoncer à tous les rêves qu'elle avait nourris depuis son enfance.

CHAPITRE V

Elle désirait aimer, aimer pour se distraire, aimer pour sentir son cœur se réchauffer au contact d'une personne bonne et affectueuse, aimer pour être aimée, pour avoir un ami, un confident à qui elle pourrait faire part de ses projets d'avenir, de ses rêves d'espérances, de ses regrets, de tout ce qui l'intéressait et donner, en retour d'une sympathique attention, un grand amour vivace!

Ninie retourna avec sa tante à New Bedford où elle eut l'occasion de rencontrer, dans une soirée chez une des amies de sa tante, ce jeune homme qu'elle avait, quelques jours auparavant, rencontré à New York.

M. Mitchell redoubla d'attention pour elle. Elle ne put répondre à ce monsieur que par un témoignage d'estime et par une conversation assez longue qu'elle eut avec lui. Il lui fit connaître qu'il était célibataire, riche propriétaire à New York, et qu'il tenait le commerce de bijouteries; qu'il vivait seul, avec sa vieille mère, sur la quarante-cinquième avenue. Il lui fit part de tous les sentiments qu'il éprouvait depuis cette rencontre qui lui avait permis de faire connaissance avec elle. Il l'invita à faire une promenade avec sa tante à New York qu'il connaissait bien, étant établi dans cette grande ville depuis au delà de quinze ans, se faisant un plaisir de lui faire visiter New York et ses environs, ce que Ninie accepta après avoir consulté sa tante.

M. Mitchell alla, à un jour convenu, rencontrer Ninie au Savoy Hotel où elle ne pouvait en croire ses yeux tant elle en admirait les beautés et les décors et tant, de sa chambre qu'elle occupait avec sa tante, elle pouvait contempler le joli parc qui s'étend en face du Savoy Hotel, parc d'une immense étendue, couvert d'arbres de toutes variétés, de fleurs de toutes sortes, et au milieu duquel coulent les eaux claires d'une rivière artificielle. Tous ces édifices à quinze et vingt étages lui faisaient un étrange contraste avec les maisonnettes de Guigues; elle ne se lassait pas d'admirer ces architectures à divers styles!

M. Mitchell conduisit ces dames d'abord chez sa vieille mère, à qui il présenta sa nouvelle amie, Ninie, avec un air de satisfaction peu ordinaire. L'amour qu'il éprouvait déjà pour elle était visible et sa mère, une brave femme aux cheveux blancs, au sourire gracieux, grande, svelte et à l'air très distingué, parut aimer, à première vue, cette jeune fille de qui son fils Harry avait déjà conquis l'estime et la confiance, sinon l'amour.

M. Mitchell fit tout son possible pour faire faire, en automobile, d'agréables promenades à Ninie et à sa compagne de voyage.

Sans le vouloir, dans son cœur bon et généreux, naissaient et grandissaient des sentiments de reconnaissance et d'amitié pour Harry qui, de son côté, aimait de plus en plus cette jeune fille naïve et intelligente.

Durant les mois de vacances que Ninie passa chez sa tante à New Bedford, elle ne refusa pas les nombreuses promenades qu'il lui offrit gracieusement de lui faire faire, vu que sa tante l'accompagnait dans toutes ses excursions. M. Mitchell lui présenta à plusieurs reprises de ses amis et trois jeunes demoiselles de bonne famille de New York qu'ils eurent l'occasion de rencontrer plus tard dans leurs visites soit à Boston, à Meriden, à Hartford ou à Providence; quelquefois même, ils firent ensemble des promenades d'automobile.

Quelles impressions son âme ne subit-elle pas au contact de ces Américains, si larges dans leurs manières, si habitués à vivre avec tout le confort tel qu'on peut se le procurer avec de l'argent. Que de réflexions lui venaient à l'esprit quand, revenue dans sa chambre, elle racontait à sa tante les considérations qu'elle avait faites sur le voyage de la journée. Sa tante, plus habituée à ce genre de vie, elle qui demeurait à New Bedford depuis plus de vingt ans et qui était alors veuve d'un mari qui avait aimé passionnément le voyage et les aventures où elle avait été entraînée pour l'accompagner, recevait peu ou point d'impressions de la vue de toutes ces villes qu'elle avait plus d'une fois visitées!

Mais Ninie, si jeune, partie du fond des bois du Témiscamingue, s'apercevant que M. Mitchell l'aimait éperdument et elle, qui ne ressentait pour lui, jusqu'alors, qu'une amitié qui était plutôt de la reconnaissance que de l'amour, se sentait prise dans une alternative qui lui amenait souvent à l'esprit des réflexions qu'elle avait des difficultés à résoudre. Refuser d'accompagner M. Mitchell, c'était renoncer aux chances de connaître les différentes villes où il se plaisait à la conduire; accepter de nouveau d'accompagner M. Mitchell dans toutes les promenades qu'il lui proposait, c'était, en quelque sorte, engager son cœur dans la voie d'une amitié qu'elle savait tôt ou tard être obligée de briser et alors, elle se rappelait que M. Mitchell, pour elle, dans l'espoir de conquérir son amour, avait discontinué ses visites chez sa cousine Miss Baker qui en avait éprouvé un cruel chagrin et qui avait conçu contre Ninie une haine terrible, sans la bien connaître autrement que pour sa rivale. Déclarer à M. Mitchell qu'elle ne l'aimait pas d'amour, c'était, pour Ninie, s'exposer à des reproches et à de la vengeance!

Si M. Mitchell était bon, s'il l'aimait, il serait devenu haineux et l'aurait détestée; car les amis qu'il lui avait présentés un jour, l'avaient dépeint – peut-être par jalousie – , terrible dans ses reproches, s'il se croyait dupe de quelque manque de franchise et de loyauté. Plus d'une fois, Ninie avait conversé avec la mère de Harry; elle l'aimait beaucoup cette jeune fille et aurait désiré la garder avec elle tant elle la trouvait bonne et madame Mitchell avait paru confirmer l'appréciation des qualités comme des défauts de son fils, ce qui était de nature à plonger Ninie dans la plus noire anxiété. Son cœur était en proie à la plus vive douleur. Elle l'aurait aimé pour un amant s'il n'eût pas été si arrogant et si autoritaire; car elle admirait chez lui la propreté, la droiture, la franchise; elle aimait aussi la loyauté et la distinction de sa vénérable mère qui lui manifestait tant d'égards et de considération!

Son imagination lui faisait entrevoir, d'un côté, si elle consentait à l'épouser, la richesse, la vie large menée dans la ville de New York qu'elle aurait aimée passionnément; elle savait que toute la famille de M. Mitchell, qu'elle avait rencontrée plus d'une fois, chez la mère, l'appréciait beaucoup. Ninie savait que, par ses connaissances et son instruction, et par sa facilité à parler anglais, elle n'aurait pas de difficultés à paraître au premier rang de la société de cette grande ville.

Partout où elle avait été, partout où M. Mitchell l'avait conduite, soit dans les bals, soit dans les réunions de sa famille, soit dans les soirées intimes de ses amis, Ninie était apparue naturellement distinguée et bien éduquée; toutes les règles de la bienséance et du savoir-vivre qu'elle avait apprises aux couvents de Jésus-Marie à Hochelaga et à Chatham, lui étaient si familières et si naturelles, qu'on aurait dit qu'elle avait été élevée dans les familles du grand monde.

M. Mitchell était fier de son amie; les charmes de sa jeunesse, la naïveté de son esprit, les réponses intelligentes et réfléchies qu'elle donnait quand il s'agissait de converser sur des sujets d'actualité, sérieuse, son regard vif et étincelant d'ardeur, d'amour, en faisaient une charmante jeune fille, digne de la haute distinction et des richesses de M. Mitchell.

Aussi ne manquait-il pas l'occasion pour présenter sa jeune amie dont il se sentait orgueilleux, à ses parents, à ses amis et pour s'en faire accompagner dans tous ses voyages et pour assister avec elle à toutes les grandes réceptions, fêtes musicales, qui se donnaient à New York et auxquelles il décidait de prendre part.

Ninie, sans le détester, n'éprouvait pas pour lui l'amour qu'elle avait ressenti quand, jeune, elle avait aimé son ami Rogers. Souvent, le soir, retirée à sa chambre, seule, pensive, quand l'aquilon venait souffler fortement à sa fenêtre, que la pluie tombait en torrents bruyants sur la façade de l'Hôtel Savoie, qu'assise dans son grand fauteuil et contemplant les nuages déversant leurs orages sous les rayons tristes de la lune qui se montrait de temps en temps, elle faisait la comparaison de l'amour nouveau qu'elle avait pour M. Mitchell avec l'amour d'autrefois qu'elle avait ressenti pour Rogers. L'amour que Ninie avait pour M. Mitchell était dicté par sa raison, celui qu'elle avait eu pour Rogers lui avait été dicté par son cœur! “Mais à quoi bon, se disait-elle, penser encore à cet amour de Rogers? Je ne puis plus le voir! Il est prêtre ou sera un jour, prêtre!” L'amour qu'elle avait eu pour lui l'avait fait tressaillir de joie, de bonheur!

CHAPITRE V

Celui qu'elle avait pour M. Mitchell ne lui inspirait que de la reconnaissance pour ses bontés. Sa raison seule lui faisait comprendre qu'elle serait heureuse en l'épousant; mais plus elle le connaissait, moins elle était portée à l'aimer. Bien que M. Mitchell fût bon, il était d'un caractère orgueilleux, prétentieux et d'un genre commercial, sans aucun rêve d'avenir, sans idéal. Il ne pouvait satisfaire à toute l'ambition de l'âme de Ninie qui lui demandait plus de rêves de la vie, plus d'aventures que ce genre de vie monotone et réglé; sa nature sensitive et délicate exigeait, pour elle, des égards qu'elle ne croyait pas recevoir de Harry.

Plusieurs fois, elle révéla l'état de son âme à sa tante qui était d'un caractère tout différent et qui, par sa différence d'âge, n'avait pas les mêmes goûts ni les mêmes aspirations et, par conséquent, lui conseillait de mettre l'amour de cœur de côté et d'être pratique et d'épouser ce M. Mitchell qui lui offrait toutes les chances, par son mariage, de l'élever à son rang, au rang de sa famille; ce qui ne convainquait pas Ninie d'agir ainsi. Elle ne pouvait faire taire son cœur qui, n'ayant encore aucun autre amour, ne pouvait se décider à renoncer à rencontrer un amant qu'elle pourrait aimer du même amour qu'elle avait éprouvé pour Rogers!

Ninie, ne sachant trop quoi faire, bercée tantôt par les rêves d'espérances de rencontrer un autre Rogers, illusionnée tantôt par le miroitage des diamants qu'elle porterait et les richesses dont elle serait douairée si elle épousait M. Mitchell, Ninie se trouva dans une cruelle inquiétude et résolut de demander conseil à sa mère.

"Madame...
        Guigues
                Témiscamingue Co.

Ma chère Maman,

Le nom de mère est bien doux; mais pour vous prouver comme j'ai besoin de vos conseils, je vous appelle aujourd'hui, ma chère maman.

Je suis plongée dans la plus cruelle incertitude; des inquiétudes de haute gravité envahissent mon âme et je viens vous les soumettre pour, ou m'aider à les dissiper en changeant ma situation pour celle qui s'offre à moi ou m'aider à les combattre en renonçant à ce qui m'est offert et qui peut être, pour moi, un avenir heureux ou un avenir des plus pénibles!

J'ose croire que le retard que j'ai apporté pour répondre à votre bonne lettre que j'ai reçue à New Bedford, chez ma tante, ne vous a pas causé trop d'inquiétudes.

Ma santé est très bonne ainsi que celle de ma tante qui me parle souvent de vous et de toute notre famille.

Je vous écris de New York où, pour la cinquième fois depuis mon arrivée aux États-Unis, j'ai passé quelques jours, à chaque promenade en compagnie de ma tante; nous nous retirons à l'Hôtel Savoie qui est un peu plus joli et plus considérable que le Vendôme ou le Maple Leaf de Haileybury!

Ce qui m'a surtout frappée, ici, c'est que presque tous les employés parlent le français!

Inutile de vous dire que nous y sommes très bien traitées. Je vous sais anxieuse de connaître la cause de ces fréquentes excursions à New York; je vais vous la dire franchement et j'en suis d'autant plus aise de vous l'avouer que j'éprouve un besoin de tout vous dire et de vous demander vos bons conseils.

Vous vous rappelez sans doute, ma chère maman, que j'ai toujours eu l'idée de connaître et d'acquérir des connaissances.

Bien voilà! Pendant mes vacances à New Bedford, j'ai fait connaissance d'un jeune homme charmant. Je l'ai aimé d'abord; lui aussi, il m'a aimée et m'aime encore davantage. Il m'a fait visiter presque toutes les grandes villes des États-Unis de l'Est; je suis allée en automobile très souvent avec lui, accompagnée de ma bonne tante.

J'ai été heureuse de voir, de connaître et d'apprendre; plus d'une fois, vous le devinez, j'ai ouvert les yeux de surprise et d'étonnement. Ce jeune homme appartient à une belle et brave famille de New York, très riche, et vit seul avec sa mère.

Je comprends très bien que, si je l'épouse, mon avenir est tout fait. J'ai l'estime de sa famille et je crois avoir son amour; mais moi, je ne ressens pour lui que de la reconnaissance, car je ne l'aime plus. Il est orgueilleux et ne souffre pas de contradiction. Je devrais avoir le droit à mes idées; parfois, je fais des rêves d'avenir : il rit de moi. Il a un genre commercial et très pratique; il est dans le commerce des bijouteries et il possède de riches magasins qui font envie. Sa résidence privée est princière. Je sais que je serais très bien si je pouvais forcer mon cœur à l'aimer. Que dois-je faire, ma chère maman? Quitter New York sans lui parler, ce serait passer pour une espiègle! Lui déclarer que je ne l'aime plus, c'est m'exposer à sa haine! Continuer à sortir avec lui, pour temporiser, quand je sais qu'il me faudra briser ce lien, cet amour, tôt ou tard, c'est m'exposer davantage à sa haine.

En ces derniers temps, en présence de l'avenir souriant qui s'offrait à moi, j'ai essayé de forcer mon cœur à l'aimer. Tous mes efforts sont vains et mon cœur comprimé ne sait plus que laisser échapper des sentiments d'indifférence et de froideur; c'est à peine si je ressens encore de la reconnaissance pour cet homme que je vois chercher à me dominer au point de ne pas pouvoir respecter mes moindres pensées exprimées, bien qu'il réitère ses déclarations d'amour et que je sache, vu son assiduité auprès de moi, qu'il m'aime beaucoup.

Ma chère maman, que dois-je faire? Dites-le moi bien vite, car je souffre de l'indécision de mon âme; je sens le besoin de vos conseils; la base de mon anxiété n'est peut-être que l'inconstance? Suis-je à refuser mon bonheur par mon inconstance qui me ferait délaisser l'objet poursuivi dès que je l'atteins?

Avec l'assurance de ma piété filiale, recevez un bon baiser et les amitiés de celle qui se souscrit.

Votre enfant respectueuse et reconnaissante,

NINIE"

Cette lettre fut lue avec beaucoup de surprise par la mère qui ne retarda pas, plongée qu'elle était dans la plus grande anxiété au sujet du sort de sa fille, à lui répondre :

"Ma chère enfant,

La sensibilité et le dévouement d'une mère n'ont pas de bornes; si les conseils que je te donne dans cette lettre sont de nature à froisser ton orgueil, j'espère que tu tiendras compte de la surprise que tu m'as causée; je ne veux que ton bonheur.

Je sais que tu as confiance en ta mère; je sais que tu comprends toute l'étendue de l'amitié que je te porte!

Puisque tu me demandes des conseils, tu as donc confiance en l'expérience de celle qui n'a jamais épargné ni chagrin, ni argent, ni labeur pour te procurer le bonheur pour lequel tu soupirais depuis des années.

Je te demande, ma chère enfant, de revenir à Montréal au plus tôt, sinon tout de suite. Ne cherche pas à contraindre ton cœur; tu es jeune, il te reste encore des espérances; d'ailleurs, il te vaudra mieux vivre sans être aimée, en ta liberté, que de vivre enchaînée sous le pouvoir d'un homme que tu ne peux aimer! Si tu ne l'aimes pas maintenant, tu l'aimeras encore moins dans le mariage! Je te prie de le fuir de la manière la plus courtoise possible et reviens au foyer où le cœur de ta mère t'attend. N'hésite pas; car ce M., se croyant trompé, pourrait chercher à tirer vengeance contre toi.

N'accepte plus rien de lui : ni présents, ni promenades, ni bouquets, ni amours. Ne lui fais pas de promesses. La liberté est, entre toutes les jouissances de la vie, celle qui procure le plus de bonheur.

Un amour enchaîné est un bonheur à demi seulement goûté et dont la saveur très souvent est changée en amertume. L'or et l'argent seraient-ils sur tes pas, que tu ne saurais goûter le vrai bonheur!

Au nom des sacrifices que nous avons faits, ton père et moi, pour seconder toutes tes ambitions nobles et légitimes, je te prie de bien vouloir réfléchir et de mettre fin à ces tourments de ton âme en proie à de l'indécision.

Nous prions que le Seigneur éclaire tes démarches et te protège et te ramène saine et sauve au foyer ou à ton emploi où tu pourras continuer à travailler à ton avancement et à tes succès tant souhaités.

Veuille croire à l'amitié de celle qui se joint à toute la famille pour te souhaiter prompt retour et énergie de tout rompre, dans tes intérêts les plus sacrés!

Ta mère respectueuse."

Ninie, en recevant cette lettre de sa mère, lut et relut plusieurs fois ces phrases qui lui indiquaient, d'une manière bien claire, la conduite qu'elle devait suivre. Mais il lui fallait exécuter! L'exécution est toujours plus difficile que la promesse!

Dès le même soir qu'elle reçut cette lettre à l'Hôtel Savoie à New York, Harry se présenta pour lui demander de l'accompagner à une partie de danse qui se donnait à la soirée sur le toit de la maison. Ninie, quoique pensive, s'efforça de paraître gaie et souriante comme à l'ordinaire; elle n'avait d'autres résolutions que celle d'exécuter les conseils de sa mère dont le souvenir lui était revenu à l'esprit, plus vivace et énergique que jamais, après la réception de la lettre qu'elle avait reçue d'elle. Comme l'a dit quelqu'un, pensez à votre mère et toutes vos décisions seront bonnes et vous ne pêcherez jamais.

Ninie accepta gracieusement l'invitation de Harry, croyant trouver là l'occasion de s'expliquer avec lui et de lui faire comprendre toute la nature de ses sentiments et de lui prouver, en même temps, reconnaissance pour toutes les faveurs et prodigalités dont elle avait été l'objet.

Les gens devant faire partie du *garden roof's* party commencèrent à se diriger vers l'élévateur qui conduisait au toit si élevé qu'il domine presque tous les édifices qui l'entourent.

Plus de cent personnes assistaient à cette fête vraiment féerique; l'orchestre y était installé; les toilettes des dames étaient ravissantes, les messieurs portaient l'habit de gala.

Ninie et Harry se distinguèrent par la richesse et la sobriété de leurs toilettes. Tout le monde était joyeux. Seuls, les deux amoureux semblaient éprouver le besoin de se dire quelque chose. Plus qu'à l'ordinaire, Harry comprit que Ninie roulait quelques pensées dans son esprit.

Aussi, tandis qu'on faisait les préparatifs de la valse, Ninie interrogea Harry d'une manière si réfléchie, qu'il devina que son cœur était sous l'impulsion de divers sentiments et sous le coup d'une résolution dont il redoutait les conséquences.

Il s'en était aperçu, car à deux ou trois reprises, Ninie dit à Harry :

– Retirons-nous à l'écart; j'aimerais à vous causer de quelque chose.

Harry essaya de savoir immédiatement ce dont il s'agissait, mais Ninie hésita tellement; elle ne savait par où commencer. Alors, Harry, qui, de fait, avait accompagné Miss Anita Baker à une soirée dans le cours de la semaine écoulée plutôt par courtoisie et comme seul moyen de sortir de l'impasse dans laquelle il se trouvait, vu que la famille Baker, peut-être à la demande de leur fille Anita, avait rendu visite à la famille et à la vieille mère de Harry. Alors Harry, dis-je, croyant que Ninie voulait lui faire des reproches, d'un ton affectueux, la prenant par la main, lui dit :

– Ma chère amie, ne m'en faites pas de reproches, je n'ai pu faire autrement; je vois que vos yeux n'expriment pas la même flamme d'amour que d'habitude; votre sourire est tout différent et près de vous, je ne respire plus le bonheur que vous m'avez toujours fait goûter. La parenté et la position sociale imposent des devoirs auxquels on ne saurait se soustraire.

Ninie fut tout étonnée de cette déclaration et, constatant que Harry cherchait à s'excuser, elle feignit savoir ce dont il s'agissait, mais n'avait entendu parler de rien. Elle soupçonna un peu l'affaire et, d'un air plus rassuré :

– Comment, Harry, osez-vous maintenant continuer votre assiduité auprès de moi alors qu'en mon absence, vous vous permettez de...

Ninie coupa court sa phrase et attendit la réponse de Harry qui, tout ému et craintif de perdre l'amour de sa nouvelle amie, reprit avec chaleur et enthousiasme :

– Ninie, vous le savez, je ne vous ai pas trahie; dès le début de nos amours, même le jour où nous nous sommes connus sur la terrasse observatoire, ici, à New York, alors que j'avais été épris subitement des beautés de votre sourire et de l'expression de vos regards, je vous ai déclaré que Miss Anita n'était qu'une cousine, que je ne la fréquentais pas avec l'intention de l'épouser; si je me suis permis de la conduire, mercredi dernier, à cette soirée, c'est tout simplement parce que la famille était en visite chez ma mère.

– C'est une cousine, dit Ninie, mais si c'est votre cousine, c'est ma rivale!

– Oh! non! Ninie, soyez tranquille et calme; soyez rassurée que Miss Anita n'a pas, de moi, ni amour ni espérances pour l'avenir!

– Vous voulez me tromper, Harry? Comment se fait-il, s'il en est ainsi, que vous l'ayez reconduite jusqu'à la gare où vous vous êtes permis de l'embrasser, comme un amant? Osez-vous croire que mon orgueil n'est pas blessé? Croyez-vous que je subirai longtemps la honte, l'humiliation de n'être aimable, aux yeux des gens qui me connaissent dans New York maintenant, pour ne mériter qu'une partie de l'amour d'un jeune homme? Non, Harry, vous m'avez trompée! Vous aimez votre cousine, et elle vous aime! Vous venez faire près de moi une comédie par vos déclarations d'amour! Votre amitié pour moi n'est pas sincère! J'ai une bien faible opinion de la délicatesse de votre cœur puisqu'il peut ainsi se livrer à de si multiples et diverses amours!

Harry, hésitant entre la colère et la crainte de perdre à jamais l'objet de son amour, croyant à la sincérité des paroles de Ninie qui n'étaient qu'un habile mensonge, un prétexte dont elle se servait pour saisir l'occasion de briser avec cet ami, comme elle en avait reçu le conseil de sa mère, de s'éloigner au plus tôt.

– Ninie, lui dit-il, la figure pâle et tout tremblant, comme ne pouvant que difficilement dominer la colère qui l'emportait, vous ne voulez donc pas prendre mes paroles comme celles d'un homme noble, capable de dire la vérité? Si j'ai accompagné cette demoiselle Anita qui est ma cousine, si je l'ai embrassée lors de son départ, c'est que les relations de parents que nous avons avec la famille Baker m'en faisaient un devoir! Me croyez-vous Ninie? Acceptez-vous mes paroles comme celles d'un honnête homme?

Alors Ninie, passant la main sous son corsage, en sortit une lettre qu'elle ouvrit. L'écriture était bien connue de Harry : il la reconnut! Harry n'y pouvait plus rien comprendre. Écrite en anglais bien soigné, cette lettre était ainsi conçue :

"À Dlle...
Savoy Hotel
New York.

Mademoiselle,

Je ne peux pas comprendre que vous vous permettiez d'essayer de conquérir et l'estime et l'amour de mon ami de cœur, Harry. C'est moi qui ai son amour et son cœur même; je suis sa fiancée! Vous voyez bien qu'il rit et s'amuse un peu, à vos dépens, puisque mercredi, hier encore, j'étais à New York et je me suis promenée en automobile avec lui, sous vos regards.

S'il ne m'eut pas aimée, il aurait refusé de m'accompagner de peur d'être vu par vous.

Vous faites mal, cependant, d'essayer de jeter du trouble dans le cœur de mon fiancé; il me semble que vous pourriez trouver plus convenablement à votre rang, dans la ville d'où vous venez.

ANITA BAKER

CHAPITRE V

Cette lettre était écrite par Miss Baker, dans un moment de jalousie. Harry essaya d'en convaincre Ninie, mais celle-ci était contente de trouver dans cette circonstance un motif de s'éloigner de lui.

– Mon cher Harry, lui dit-elle, en y mettant autant de douceur que possible, je vous serais reconnaissante si vous m'accordiez la faveur de ne pas m'en vouloir; vous avez été bon pour moi; j'ai su apprécier vos qualités et tout ce que vous avez fait pour moi, mais l'amour que vous n'avez cessé de prodiguer à Miss Baker, en même temps que vous me juriez fidélité et amour éternel, m'a complètement déçue et voilà que mon cœur est tout changé.

– Ma chère Ninie, ma chère amie, tout ce que j'ai fait pour vous, je l'ai fait librement, mû par un seul motif, celui de vous être agréable. Je croyais avoir réussi, je croyais avoir et posséder votre estime, votre considération, votre amour et votre cœur; vous m'avez fait voir les choses ainsi. J'ai cru en vous! Maintenant, vous voilà prête à me fuir, et ce, sans cause. Où était donc votre bonne foi? Vous prétextez avoir été blessée par la lettre de Miss Baker; je vous donne franchement l'explication de sa conduite. Je sais qu'elle m'aime, mais je ne l'aime pas pour en faire mon épouse; elle a cru vous éloigner de moi en écrivant ainsi. Seconderez-vous ses desseins ou si vous me resterez fidèle? Vous savez que je vous ai aimée, que je vous aime encore. Déjà, je goûtais les délices d'une union prochaine; déjà, je caressais le rêve de vous voir entrer à l'église, appuyée sur mon bras, pour y répéter ces mots d'une manière solennelle, que vous m'avez déjà dits sous le souffle trop ardent de l'amour ou sous le masque de l'hypocrisie : "Harry, je vous aime, oui, pour la vie!" Il me semble que je pourrais vous faire jouir de la vie; ma conduite est exemplaire; mes amis appartiennent à la meilleure société de New York. Regardez bien ce M., là-bas, avec deux amis, dans le coin de la salle, c'est un millionnaire, ayant à sa gauche, le gérant général de la Cie Métropolitaine et à sa droite, le secrétaire de notre ville.

Désignant et nommant une dizaine de personnes, dames ou messieurs comme étant de ses amis et appartenant à la meilleure société de New York, Harry lui fit entrevoir tous ses projets d'avenir, tous les voyages qu'il avait l'idée de faire et lui promit de toujours être bien affectueux pour elle, lui garantissant que seule, elle avait place dans son cœur; que, si elle le quittait, qu'il ne saurait trop comment se consoler du chagrin amer qu'il en éprouverait.

– J'ai fait pour vous, beaucoup, vous ne le niez pas? J'attendais, pour faire davantage, le jour où je croirais que je puisse être sûr de votre cœur. Bien des fois, j'ai rêvé à vous; bien des fois, j'ai pensé de quelle manière je pourrais arriver à vous rendre heureuse. Je vous ai étudiée. Si je n'attendais que le moment propice pour vous prouver toute l'ardeur de mon amour, mon cœur est fixé à votre amabilité et je ne saurais l'en détacher. Mais, puisque vous êtes si souffrante, parlez-moi, dites-moi la cause de votre malaise, car je lis sur votre figure qu'un sombre nuage plane au-dessus de l'amour de votre cœur.

Ninie, toute confuse de se voir comme trahie par l'émotion qu'elle n'avait pu dissimuler et par le ton bref avec lequel elle avait engagé la conversation eut un moment d'indécision.

Constatant les nouvelles déclarations d'amour de Harry, et ayant encore à la mémoire tous les conseils donnés par une mère d'expérience, dans le seul but de son bonheur, Ninie se trouvait dans un état difficile à décrire; mais enfin, son âme, rafraîchie par les avis de sa mère et comme réconfortée, lui donna un regain de courage et elle continua avec instance :

– Harry, lui dit-elle, ne vous rappelez-vous pas que la première fois que je vous ai rencontré, je vous apparus belle? Ne vous rappelez-vous pas que je vous ai avoué que vous étiez gentilhomme, sans oser admettre que vous étiez mon ami; ne vous rappelez-vous pas que, bien que j'aie accepté certaines promenades que nous avons faites ensemble, je vous ai estimé au point de vous rencontrer souvent et que j'ai mis entre vos mains ma confiance et mon avenir? Ne vous rappelez-vous pas que, malgré que vous disiez que je sois d'un caractère mélancolique, vous m'avez déclaré que les jours que vous aviez passés avec moi étaient les plus beaux de votre vie? Oh!

je vous ai aimé, j'ai cherché à vous aimer davantage! Mais je ne le puis pas maintenant, car votre conduite me laisse trop soupçonner que vous aimez encore Miss Baker!

– Tous les assistants ont les yeux fixés sur nous, reprit Harry, et je ne veux pas m'imposer à leur attention. Si l'amour a eu des prises sur moi, je veux et j'entends qu'il reste sans conséquences. Si je dois me séparer de vous, chose cruelle que je devrai combattre, je serai un homme, un homme pratique, et je vous laisserai partir pour vous diriger vers le but que vous vous proposez d'attendre. Je vous laisse libre, allez! Allez! Puisque c'est votre désir de me quitter!

– Harry, dit Ninie, vous prenez les choses vraiment au sérieux. Je n'ai point l'intention de vous dire Adieu, mais seulement de me permettre d'étudier cette question de notre union au contact des conseils de ma mère. Je vous sais bon et généreux! Je vous prie de vous rappeler que ma conduite à votre égard a été sans bassesses ni culpabilité, que j'ai accepté toutes vos invitations autant pour vous faire plaisir que pour en retirer moi-même de l'agrément, que si vous pensez le contraire, je devrai vous quitter; et alors je vous avouerai que toute séparation comporte des sacrifices, mais que si vous me soupçonnez de mauvaise foi, la séparation la plus douloureuse a encore des charmes.

À ce moment, Harry pâlit, et voyant les musiciens qui reprenaient leurs devoirs, il dit :

– Ninie, ma chère amie, vous voulez donc me quitter?

– Non, dit-elle, mais pour le moment, je veux retourner à mon foyer, étudier avec ma mère cette question que vous me posez; car je ne suis pas prête à essayer, sans consulter ma mère, de vous rendre heureux : vos ambitions, dit-elle, mon cher ami, ne sont pas tout à fait les miennes, vos rêves ne sont pas les miens. Je sais que vous avez de l'argent, que vous m'avez porté considération et estime et je puis ajouter sans orgueil que ce n'est pas sans à propos, car j'ai cherché par tous les moyens à me rendre digne de vous. Vous m'avez aimée, je vous ai aimé! Mais le plus nous nous connaissons, le moins nous nous aimons, je crois; et en vue de notre bonheur commun, je m'attarde à réfléchir et oser croire qu'une séparation serait aussi bonne que la continuation d'un amour obligé de souffrir la rivalité d'un autre amour.

– Séparons-nous, soit, dit Harry, puisque c'est là votre désir, mais en attendant, un tour de valse.

L'atmosphère remplie des parfums des bouquets qu'on avait disséminés tout autour de la salle répercutait les échos joyeux des instruments de l'orchestre et les convives, comme transportés dans le tourbillon des rires de la jeunesse et enivrés de joie, répondaient aux notes de la musique et se berçaient d'illusions faisant oublier les chagrins.

La jeune fille était, tout de même, toute stupéfaite du changement de l'état d'âme de Harry. Peut-être ne l'avait-elle pas connu tel qu'il était? Harry se montrait plus généreux, plus délicat, plus affectueux et plus idéaliste qu'elle ne l'avait jamais cru!

– Ninie, vous ne m'aimez donc plus? dit Harry, après quelques moments de silence, en terminant sa valse.

– Oh! Harry, vous me faites souffrir.

– Répondez-moi, dit-il avec ténacité.

– Vous répondre, Harry, m'obligerait à vous parler plus longuement que je ne puis faire ici, maintenant, en présence de cette assistance qui, toute joyeuse et occupée à se divertir, me ridiculiserait de me voir plus longtemps retirée à l'écart avec vous et causer sur un ton si sérieux et me verrait peut-être verser des larmes!

– Soit, ajouta Harry, il se fait tard; retirons-nous; descendons au salon privé et, en présence de votre tante, nous nous expliquerons. Car je veux savoir à quoi m'en tenir!

À cette invitation, la jeune fille, toute bouleversée des remarques de Harry et bien décidée à ne pas changer sa décision et à suivre les conseils de sa mère et à retrouver le bonheur, la paix dont elle jouissait avant de le connaître, accepta avec un sourire gracieux l'aimable causerie en cabinet particulier.

Tous trois prirent place dans le salon privé de Ninie où, tout d'abord, on dégusta un verre de fine champagne à la santé de Harry qui se contenta de demander la permission aux dames de fumer une cigarette.

– Mon amie, dit-il s'adressant à Ninie (qui, tout inconsciente, venait de jouer le "*Home Sweet Home*" sur le piano qui était dans l'un des coins du salon), ouvrez-moi votre cœur, parlez-moi avec franchise! M'aimez-vous encore? Quand vous me disiez que vous désiriez vous fonder un "*Home*" sous mes soins et sous mon amour, étiez-vous sincère? Croyez-vous à la sincérité de celui qui a fait tant pour vous? Toute personne a ses défauts; je ne suis pas parfait, moi non plus; je peux vous paraître hautain, orgueilleux, trop préoccupé des affaires et (comme devinant tous les sentiments cachés dans les plis et replis du cœur de la jeune fille) je peux vous paraître comme n'ayant pas l'idéal que vous voudriez trouver en moi. Permettez-moi de vous dire, mademoiselle, que les rêves n'ont jamais bâti les fortunes, que la vie pratique n'a jamais obligé l'amour à diminuer d'intensité; permettez-moi de vous dire qu'un homme peut avoir un grand cœur, être très sentimental et avoir, en même temps, une intelligence plus forte et plus maîtresse des sentiments de son cœur.

– Harry, cher ami, vous m'avez retirée à l'écart; je suis contente de votre discrétion : je reconnais en vous un homme que je croyais pouvoir aimer dès les premières rencontres que le hasard m'a favorisée de faire de votre personne. Je vous ai aimé, quoique ayant toujours conservé en mon cœur le désir de vous connaître davantage; ce désir s'est accentué depuis, surtout, que j'ai appris que vous n'aviez pas renoncé à l'amour que vous portiez à Miss Anita Baker. Je veux vous connaître davantage. Nous ne vivons qu'une vie; le mariage heureux fait le bonheur des époux! Je veux non seulement être aimée, mais je veux aimer, et je ne me sentirais pas capable d'aimer un homme au cœur si large qu'il peut abriter deux amours! Le mariage heureux fait le bonheur des époux non seulement en ce monde, mais aussi pour ceux qui, comme nous, croient à l'Éternel, le bonheur dans l'autre monde! Je voudrais vous aimer autant que mon cœur est capable d'aimer; mais j'en suis empêchée par ma rivale. Laissons faire; le temps me persuadera si je dois vous aimer encore. Peut-être vous déciderez-vous à quitter ma rivale? Si je réfléchis, Harry, ce n'est pas parce que je ne saurais vous aimer; je serais capable de vous aimer si je vous savais digne de mon amour. Je ne suis pas seule, comme je vous ai dit, dans ma décision; votre amour n'est pas resté sans écho dans mon cœur, vous le savez.

– Oui, dit Harry, je le sais. Je l'ai cru du moins que vous m'aimiez! Mais de grâce, ne me parlez plus de Miss Baker! Si je dois, pour vous faire plaisir et conserver votre amour, renoncer aux relations que ma parenté avec la famille Baker m'impose par devoir, je le ferai! Si pour rétablir la paix dans votre âme, je dois ne plus fréquenter, ni comme cousin ni comme ami, Miss Baker, je le ferai : car l'amour que je ressens pour vous est au-dessus de tous les sacrifices que vous pourriez exiger de moi.

Ninie, satisfaite de cette déclaration, en apparence, feignit de recouvrer le calme et l'assurance qu'elle avait jadis quand elle sortait au bras de Harry : et de fait, intérieurement, elle sentit naître en son cœur une flamme d'amour plus vivace que jamais. Harry lui apparut alors plus affectueux. "Si je l'avais connu ainsi! Après tout, c'est un bon garçon, se disait-elle! Il m'aime et je serais bien avec lui!"

– Harry, lui dit Ninie, si je décide de quitter New York, veuillez croire que je reviendrai ou que je vous enverrai de mes nouvelles.

– Oh, mon amie, reprit-il, vous ne pouvez pas partir ainsi; vous avez un devoir à remplir et je tiens absolument à ce que vous l'accomplissiez.

– Un devoir à remplir? dit Ninie, tout étonnée de se faire tracer une ligne de conduite, en présence de sa tante, par Harry!

CHAPITRE V

La tante qui avait été occupée jusqu'alors, absorbée dans la lecture, en entendant cette phrase, demanda excuse au jeune couple et, regardant Ninie :

– Oui, ma chère nièce, M. Mitchell a raison. Tu as un devoir à remplir; je comprends et je m'explique que, toute saisie du sujet intéressant de la conversation qui t'intéresse, tu ne t'en doutes, mais je sais que tu sauras t'acquitter de ce devoir dont veut parler M. Harry.

– Quel est ce devoir? Je ne comprends pas, ma tante, reprit avec vivacité, Ninie.

– M. Harry, si je le devine bien, veut insinuer que tu devras aller saluer sa vieille mère.

– Oui, hochant la tête, dit-il, vous avez raison, madame!

– Oh! mon ami, soyez sans inquiétudes; j'ai songé à ce que je dois faire. De même que je ne vous aurais pas quitté sans vous voir ni vous parler, à plus forte raison, je ne partirai pas sans avoir salué madame votre mère : elle a été bonne pour moi, elle m'a reçue dans sa maison comme si j'eusse été sa fille! Si toutefois, je n'allais pas lui rendre visite, ce serait plutôt par la crainte d'être reçue froidement.

– Comment, dit Harry, pouvez-vous vous attendre à être reçue froidement? Avez-vous l'intention de me quitter définitivement?

Harry, paraissant tout énervé et surexcité, et comme regrettant d'avoir fait tant de déclarations d'amour et craignant de s'être abaissé en face de cette jeune fille qui semblait vouloir le délaisser, continua :

– Pourquoi me parler ainsi? Vous me promettez de revenir ou de m'envoyer des nouvelles? Vous me déclarez que si je renonçais à l'amitié de Miss Anita Baker, vous m'aimeriez; alors, pourquoi parler d'être reçue froidement par ma vieille mère qui a cru, comme moi, à l'amour et l'estime que vous m'avez manifestés ouvertement? Ne savez-vous pas que cette brave dame est la noblesse même? Seriez-vous dans le tort qu'elle ne vous en parlerait même pas. Mais si vous lui déclarez que votre amour pour moi est toujours le même, fort, puissant, persévérant et que vous partez pour obtenir le consentement de vos parents à notre union, vous lui ferez une grande consolation et lui apporterez la confirmation de tous les rêves qu'elle a faits pour mon bonheur.

– Harry, dit Ninie, n'allez pas trop loin; je connais madame votre mère; je connais mon devoir et je saurai l'accomplir à ma satisfaction avant de quitter New York!

Le lendemain, Ninie se préparait à quitter New York. Elle avait passé la nuit à s'entretenir, après le départ de Harry, avec sa tante qui lui reprochait de manquer son avenir et de croire un peu trop à l'importance de son amour.

– Cet homme n'a pas de défauts, lui disait sa tante. Il a ses manières à lui; tu ne dois pas avoir la prétention de prendre mari pour en faire ton valet! Ah! l'avenir te dira que le galant que tu croiras prendre, épouser, sera un bourreau dans ta maison.

Ninie était satisfaite tout de même de sa veillée avec Harry. Elle lui avait promis de venir ou de lui envoyer de ses nouvelles et il lui avait promis de se rendre à Montréal ou à Guigues pour lui rendre visite.

Ninie se rendit, vers les deux heures de l'après-midi, chez la mère de son ami; elle y fut reçue très cordialement, comme à l'habitude.

Après quelques paroles échangées, Mde Mitchell, qui parut un peu au courant de la situation, pressant sur son cœur cette jeune fille qui venait la saluer avant son départ et la remercier de tous les égards, de toutes les politesses qu'elle avait eus pour elle, lui dit :

– Mais, j'espère que vous nous reviendrez!

Et, désignant le grand fauteuil qui se trouvait au milieu du boudoir que Ninie occupait habituellement dans ses visites, lui dit :

CHAPITRE V

– Votre fauteuil vous attendra mademoiselle!

Ninie, tout émue à la vue de cette vieille mère si bonne et si affectueuse lui répondit :

– Je reviendrai certainement, madame, reprendre mes appartements à l'Hôtel Savoie où je me plais et où nous sommes si bien; je reviendrai certainement, madame, causer avec vous si mes bons parents que je vais consulter m'en donnent la permission; car mon cœur, d'abord un peu refroidi, probablement par l'ennui de ma famille et de tout ce qui m'est cher là-bas, redeviendra réchauffé et désireux de vous revoir, madame, ainsi que M. votre fils Harry, mon cher Harry.

À ce moment, Harry, qui était dans ses appartements dont la porte était ouverte, comprit toute la conversation échangée entre Ninie et madame sa mère, s'élança rapidement au cou de Ninie et, les larmes dans les yeux, en présence de sa mère :

– Ninie, ma chère amie, est-ce bien vrai que vous allez revenir? Au moins, est-ce bien vrai que vous me donnerez de vos nouvelles? J'irai vous voir; j'irai, moi, vous rendre visite si vous ne pouvez revenir à New York! Je veux vous revoir!

Ninie, comme tout impressionnée de cette marque réelle d'amitié de la part de la mère et de l'amour intense de Harry, répondit :

– Sûrement, je reviendrai.

À ce moment, Ninie avait changé sa décision! Elle avait pris la résolution de revenir. Elle était convaincue que Harry n'était pas le garçon orgueilleux que ses amis et son imagination lui avaient dépeint.

Ninie dit "au revoir" à Harry et embrassa filialement cette bonne vieille qui, lui posant les mains chaque côté de la tête et déposant sur ses joues roses de jeune fille de ses baisers les plus affectueux, lui dit :

– Pour le bonheur de mon fils et pour mon bonheur, je vous demande de revenir!

Et Ninie de lui répondre par une seule caresse, ne pouvant contenir son émotion. Elle retourna avec sa tante vers l'automobile qui les attendait pour les conduire à la gare où Harry promit à Ninie d'être présent, au départ du train! Que de réflexions ne fit-elle pas! Pensive et silencieuse, elle ne savait plus de quel côté diriger ses pas! Elle aimait tant la mère de Harry qui lui manifestait tant d'intérêt!

Retourner, pour y vivre de son emploi, à Montréal, quel contraste avec le genre de vie élevé et noble qui lui était offert! Harry, dont elle n'aimait pas les manières, lui paraissait maintenant meilleur et plus affectueux que jamais.

À l'heure indiquée, Harry se rendit en automobile à l'Hôtel Savoie pour y chercher son amie et sa tante qui l'accompagnait, pour les conduire à la gare.

II y trouva Ninie, à sa grande surprise, en pleurs, et comme toute désireuse de demeurer à New York; il en éprouva une certaine satisfaction de la voir dans cet état d'âme.

– Ma chère Ninie, lui dit Harry, me permettez-vous de vous demander la cause de votre chagrin?

– Il est très facile de vous l'expliquer. Je ne puis résister à l'émotion que je ressens en me voyant sur le point de quitter cette belle ville que j'ai tant admirée, de quitter l'Hôtel Savoie dont la délicatesse et le savoir-vivre du personnel et l'amabilité du gérant nous font désirer de prolonger notre séjour, de quitter un ami, vous, qui avez été si bon pour moi! Je ne croyais pas vous aimer tant que cela! Il faut donc croire que je vous aime puisque mon départ, ma séparation d'avec vous me causent tant de peine!

Harry s'avança, dans un moment de transports joyeux, vers Ninie, la pressa sur son cœur et, sans mot dire, déposa un long baiser sur son front.

Ninie sentit alors qu'elle l'aimait plus que jamais. Arrivés à la gare quelques minutes avant le départ du train, tous trois prirent place dans le char "Pullman" et Harry dit à la jeune fille :

CHAPITRE V

– Le motif de votre départ est-il réellement celui que vous prétextez ou s'il est plutôt le désir que vous éprouvez de rencontrer un autre ami qui serait mon rival? Croyez-vous qu'il m'est possible d'espérer encore sur votre amour? Ninie, vous le savez, je vous ai aimée à la folie! Je vous aime encore beaucoup! Bien des fois, je me suis levé, dès cinq heures du matin, pour prendre une promenade à cheval et avoir l'occasion, en passant en face de l'Hôtel Savoie, de vous saluer à votre fenêtre et cueillir, rival avec le soleil, les premiers sourires de votre figure rayonnante de joie du repos de la nuit. Comme je vous ai aimée! Pour conquérir votre amour, il n'y a pas de sacrifices que je ne serais pas disposé à faire! Si votre cœur est engagé, dites-le moi bien franchement. Quoique bien attristé, je retournerai silencieux auprès de ma mère, et j'emporterai dans mon cœur les souvenirs d'une illusion qui, après m'avoir apporté tant de bonheur, m'apportera tant de larmes! Mais les larmes que je verserai seront sans reproches à votre égard; tout ce que je vous demande, c'est de me dire la vérité. Reviendrez-vous? M'enverrez-vous de vos nouvelles? Aimez-vous un autre ami? Jamais mon cœur ne fut plus épris d'amour comme il le fut de votre personne.

– Oh! Harry, je vous donne ma parole d'honneur, dit Ninie; je reviendrai certainement à New York avant longtemps; et, si quelques événements extraordinaires m'en empêchaient, je vous le laisserai savoir et je serai heureuse, alors, de recevoir votre visite.

À ce moment, comme le signal du départ du train était donné, Harry, après avoir embrassé amoureusement sa Ninie et avoir salué la tante, se retira en déposant une lettre entre les mains de la jeune fille. Elle ouvrit, quelques instants après, cette lettre conçue ainsi :

"Ma chère Amie,

Permets-moi de t'écrire ce que je ressens à l'occasion de ton départ et de te dire l'impression que tu fis sur mon âme quand je te vis pour la première fois; en lisant cette poésie ci-incluse, de Gabriel Venise, tu te convaincras que je t'aime depuis le jour où je t'ai connue, car elle est l'expression fidèle de ma pensée.

En te voyant t'éloigner de moi, mon cœur est serré et je crains de mourir de chagrin!

La crainte que j'éprouve d'apprendre que tes parents s'objectent à notre union ou que tu aies changé tes amours me laisse à demi-mort.

Qu'il me tarde d'avoir de tes nouvelles! Ne me fais pas souffrir le supplice d'une trop longue attente, car je suis impatient...

L'ennui que j'éprouverai de me voir privé de tes sourires, de l'agrément de ta douce conversation, de l'ardeur de tes baisers, sera terrible!

Puisses-tu penser sérieusement à moi et te faire un devoir de conscience de tenir tes promesses envers celui qui, pour toi, est prêt à sacrifier le reste de ses jours.

Veuille croire en mon amitié toujours sincère et persévérante.

HARRY

La poésie incluse se lisait ainsi :

Ô jeunesse aux grands yeux, jeunesse aux cheveux blonds,
Qui pose, dès l'aurore, un pied dans la rosée :
Dame du clair matin, pareille à l'épousée
Que le Seigneur amène au son des violons.

Toi qui vas les bras nus, les tresses dénouées,
Rieuse à travers l'ombre, et la nuit, et le vent;
Toi qui pour diadème, as le soleil levant
Et dont la robe rose est faite de nuées.

Que ton charme est puissant et doux! Les plus hardis
Fléchissant le genou, t'adorent en silence;
Pur comme l'encensoir qu'une vierge balance,
Le ciel se teint pour toi d'un bleu de Paradis :

CHAPITRE V

Et dans le pays vert où ta grâce ingénue
Sous le baiser d'avril éclate en liberté
Pleins d'allégresse et fous de ta beauté,
Les oiseaux, par milliers, célèbrent ta venue.

Ta sveltesse ineffable est celle du bouleau.
Ta voix nous berce ainsi qu'une chanson lointaine :
Comme un lys qui s'effeuille au bord d'une fontaine,
Ton corps délicieux a la fraîcheur de l'eau.

Tu ressembles parfois à la biche craintive,
Qui, l'oreille aux aguets sent venir le chasseur :
Ta bouche, au clair de lune, a l'étrange douceur,
De la belle-de-nuit et de la sensitive.

Parfois, lasse d'avoir suivi les papillons,
Tu mires ton visage à la source des fées,
Et l'odeur des lilas t'arrive par bouffées,
Dans la brise qui vague et le chant des grillons.

Et puis comme Diane errant par la clairière,
Le carquois sur l'épaule avec ses lévriers,
Sur un fond d'azur pâle et de genévriers,
Tu resplendis, superbe et chaste, ô guerrière.

Telle je t'aperçus pour la première fois
Dans le brouillard léger de l'aube qui se lève,
À cette heure où la vie est comme un divin rêve
Que traverse un soupir de flûte ou de hautbois.

Près du ruisseau d'argent, dans la forêt mystique,
Où tremble, vers le soir, un chant de volupté :
Près des cascades d'or, dans le cirque enchanté;
Ton appel virginal était comme un cantique.

Enfant émerveillé, j'allais par le chemin :
Je regardais danser le soleil sur la mousse,
Adorable et terrible, éblouissante et douce,
Tu m'apparus, jeunesse, une rose à la main!

CHAPITRE [VI]

TITRE I

LA RIVALE

L'amour le plus sincère a toujours ses épreuves; plus l'amour est sincère, plus les épreuves qu'il lui faut subir sont grandes!

Harry n'avait pas vu Miss Baker depuis quelque temps déjà; il s'était abstenu de la fréquenter par fidélité pour son amie Ninie dont l'absence lui causait beaucoup de peine. Aussi, Miss Baker, qui aimait Harry et espérait gagner et son amour et son cœur, lui écrivait pour lui déclarer tout le chagrin qu'elle ressentait de le voir si indifférent et ne lui ménageait pas les reproches pour avoir osé se faire une autre amie quand elle était depuis si longtemps connue, dans sa ville, et de ses parents et de ses amis de New York, comme la fiancée de Harry, au dire de ses prétentions. Harry était silencieux; il n'osait répondre d'aucune manière à Anita de peur que son amie Ninie ne lui envoyât de bonnes nouvelles.

À chaque jour, pendant plusieurs jours après le départ de Ninie, Harry allait méditer dans son jardin, à la tombée du jour; il devenait de plus en plus inquiet et anxieux! Ce jeune homme qui, malgré ses trente années, paraissait n'être âgé que de vingt-cinq ans quelques semaines auparavant, était devenu maigre, chétif, la figure triste, continuellement absorbé par la pensée de son amie. L'ennui et le chagrin qu'il éprouvait du silence de sa Ninie, qui lui avait pourtant promis de lui écrire aussitôt qu'elle serait rendue chez ses parents, le rendaient comme troublé!

Ses amis s'inquiétaient du sort de sa santé chancelante et, ne sachant trop à quoi attribuer ce changement si subit, lui conseillaient toutes sortes de remèdes.

Quand Harry était sur sa véranda, fumant son cigare, conversant avec sa vieille mère qui, elle, se doutait bien de la cause des profonds ennuis de son fils, il apparaissait souffrant, jongleur, malade même.

Le gazouillement des oiseaux, le parfum s'exhalant des arbres en fleurs, la vue des promeneurs joyeux, l'aspect gai de la nature, n'avaient plus l'influence de le ramener à la joie, à la santé, au bonheur : toujours, sa figure était triste. Aussi, en peu de mois, il devint un tout autre homme; sa vieille mère ne l'entendait plus parler de projets d'excursions.

Harry revint un jour de son ouvrage, de son magasin, la tête bouleversée, et exprima à sa mère le désir de faire un voyage à Montréal; il était tout à fait mécontent de l'attitude de celle qui lui avait manifesté tant d'amour et qui avait promis de lui écrire.

Sa mère chercha à le dissuader de ses desseins, lui conseillant la modération, la résignation et lui affirma que si Dieu lui avait destiné cette jeune fille comme son épouse, tôt ou tard, II saurait bien la lui faire rencontrer de nouveau.

À ce moment, le facteur remit à Harry la malle de la famille. Il ne fut pas peu surpris de reconnaître l'écriture de son ancienne amie sur cette lettre au timbre de Montréal. "Que me dit-elle, se disait-il?" Il ouvrit et lut :

"À M...

New York.

Mon cher Harry,

Des heures, des jours, des semaines, des mois même se sont passés depuis que je vous ai quitté.

La maladie m'a visitée juste au moment où je me proposais de vous écrire; j'ai été clouée à un lit de douleurs et de souffrances atroces!

C'est ma première sortie aujourd'hui. J'ai pensé à vous très souvent; j'ai pensé au chagrin que vous éprouveriez et à la mauvaise opinion que vous seriez tenté d'avoir de moi, vu que vous ne receviez pas de nouvelles!

Mais, je n'ai pu faire autrement!

Ma mère, qui m'a accompagnée à Montréal au retour du congé de deux jours que j'ai pris au milieu de ma famille, a bien eu soin de moi. Mais, dois-je vous le dire? Après que ma mère eut été au courant de tous les sentiments de mon cœur, de tout ce qui s'est passé entre nous et de l'état précaire de ma santé, elle ne voulut point entendre parler de notre union, de notre mariage!

Je regrette d'être obligée de vous faire part de la situation dans laquelle je me trouve, mais j'espère que vous, comme vous me l'avez promis, prendrez les choses en homme, espérant que si notre destinée est de nous voir réunis, elle s'accomplira, car je vous promets que de mon côté, je n'y mettrai aucun obstacle.

Veuillez, cher ami, compter sur ma profonde gratitude et croire que votre Amie Ninie aura toujours pour son bon Harry, dans le cœur, les meilleurs souhaits pour son bonheur, et sur les lèvres, de doux baisers pour égayer sa figure intelligente.

D'une Amie affectueuse,

NINIE

Harry fut comme foudroyé de cette nouvelle qui lui signifiait l'impossibilité de l'exécution de ses rêves, de ses projets d'avenir.

Il en conçut une peine mortelle; mais en face d'une déclaration si nette, si longuement réfléchie et mûrie de la part de Ninie, Harry éprouva pour elle une haine qu'il dissimula autant que possible, mais qu'il nourrit dans son cœur.

Miss Anita Baker, qui n'avait eu aucune réponse aux lettres qu'elle avait adressées à Harry, résolut un jour d'aller rendre visite à sa vieille mère, alors qu'elle avait appris qu'il était absent pour un voyage d'une couple de jours. Elle apprit de Mde Mitchell que ses amours avec la jeune Canadienne avaient été de peu de durée, qu'il parlait de reprendre ses fréquentations auprès d'elle, qu'il lui avait exprimé tout le regret d'avoir changé ses amours. La mère de Harry, qui comprenait qu'il ne pouvait vivre heureux en demeurant sans distractions, invita Miss Anita Baker pour le retour de Harry, à titre de cousin.

– Je vous assure, dit-elle, à Anita, que je serais heureuse si mon fils pouvait avoir la chance d'épouser une aussi gentille demoiselle que vous!

Anita se sentit fière du succès qu'elle crut être sur le point de remporter; elle crut que la lettre qu'elle avait adressée à la jeune Canadienne avait eu son effet et avait déterminé une séparation définitive entre elle et lui. Poussée par sa mère, Anita, dont l'amour pour Harry n'avait pas diminué, renouvela ses démarches, redoubla tous ses efforts pour reconquérir l'estime et l'attention de Harry qui se résigna peu à peu à reprendre ses fréquentations. Il recouvrit peu à peu la santé. Anita, par toutes sortes de réflexions malignes sur le compte de la jeune Ninie auprès de son ami, chercha à lui inspirer du mépris pour celle qu'elle détestait tant.

CHAPITRE VI

TITRE II

Il nous faut quelque chose, en cette triste vie,
Qui nous parlant de Dieu, d'art et de poésie,
Nous élève au-dessus de la réalité;
Quelques sons plus touchants, dont la douce harmonie,
Écho pur et lointain de la lyre infinie,
Transporte notre esprit dans l'idéalité.

Or, ces sons plus touchants, cet écho sublime,
Qui sait de notre cœur le sanctuaire intime,
C'est le ciel du pays, le village natal;
Le fleuve au bord duquel notre heureuse jeunesse
Coula dans les transports d'une pure allégresse;
Le sentier verdoyant où, chasseur matinal,

Nous aimions à cueillir la rose et l'aubépine;
Le clocher du vieux temple et sa voix argentine;
Le vent de la forêt glissant sur les talus,
Qui passe en effleurant les tombeaux de nos pères
Et nous jette, au milieu de nos tristes misères,
Le parfum de leurs nobles vertus.

(Octave CRÉMAZIE)

Ninie, revenue à son emploi, se sentait heureuse. Elle avait revu ses parents, ses amis à Guigues; il lui avait été si agréable de revoir ces lieux pittoresques et à l'aspect sauvage du Témiscamingue! Elle avait été heureuse de se promener quelques heures sur les eaux de ce lac qui lui rappelait de si doux souvenirs! L'école où elle avait enseigné, les maisonnettes échelonnées le long de la route qui conduisait de la demeure de ses parents à son village natal, le clocher de l'église où elle avait, tant de fois, prié pour le succès de son avenir, lui avaient remué l'âme jusque dans les fibres les plus intimes.

Jamais elle ne s'était tant sentie d'attraits pour son pays.

Jamais elle ne s'était tant sentie secouée à la lecture des poésies patriotiques.

Elle avait éprouvé une joie indicible en revoyant tous ces lieux où s'étaient passés les plus beaux jours de sa jeunesse et ceux de son enfance. Il lui semblait que la rusticité de la campagne de Guigues était toute disparue, que la ville de Haileybury avait prospéré et déjà, elle retournait à son emploi à Montréal, tout à fait décidée de renoncer au genre de vie bruyant et riche que lui offrait alors Harry.

Elle s'était sentie si heureuse de revoir sa famille, qu'elle avait pleuré de joie pendant de longues heures. À Montréal, toutes les affaires étaient à la hausse, surtout dans l'immeuble; tout le monde anxieux de s'enrichir dans un court délai, désireux de vivre sans travailler, se jetait dans la ligne de l'immeuble; les propriétés prenaient des prix exorbitants; les transactions se faisaient très nombreuses. Aussi, son patron avait beaucoup d'ouvrage et pouvait payer de bons salaires et de fortes commissions à ceux et à celles de ses employés qui réussissaient.

La jeune Ninie travailla avec beaucoup d'ardeur et de courage pendant plusieurs mois; ses succès étaient au delà de toute espérance; elle ne s'occupait plus d'amour, question que de nouveau, elle avait remise à plus tard. Toutes ses pensées s'étaient, encore une fois, retournées vers le but de s'amasser de l'argent; de temps en temps, elle rêva, pour un avenir plus éloigné, de se fonder un “Home”! Mais elle avait repoussé toutes demandes de fréquentations d'amis et c'est à peine si elle s'était réservé quelques amis avec qui elle correspondait plutôt pour se créer des distractions que pour lier des amours!

C'était le mois de septembre, un dimanche.

Toutes les brumes du matin étaient disparues; le Mont-Royal était bleu et tout étincelant du reflet des rayons d'un soleil ardent, le ciel était sans nuages; il faisait une chaleur torride. Tout le monde de la ville de Montréal cherchait, les uns à s'éloigner dans les campagnes, les autres, ceux qui n'avaient pas beaucoup d'argent ou ceux qui ne pouvaient s'absenter pour toute la journée, se dispersaient dans des excursions soit au bout de l'Île, soit dans les villages de Valois ou de Vaudreuil ou dans les environs de Montréal. Un grand nombre se retirait dans la montagne pour jouir du repos et de la fraîcheur. Les voyageurs et les touristes se faisaient nombreux dans la montagne; les fêtes du Congrès Eucharistique, qui avaient eu lieu quelque temps auparavant, avaient amené dans la ville de Montréal des milliers et des milliers d'étrangers dont un grand nombre avait prolongé leur séjour de plusieurs semaines.

La jeune Ninie accompagnée de deux de ses amies avaient, aussitôt après leur déjeuner, pris le parti de passer la journée dans la montagne, apportant avec elles des mets pour leur repas du midi, des vaisseaux pour cueillir des fruits et diverses choses pour s'amuser. Elles s'étaient avancées dans la forêt, occupées à raconter des histoires, attirées par la curiosité à examiner de près une tourelle de pierre, monument historique du temps des Iroquois qui se trouve situé sur une hauteur toute pavoisée de gros arbres en arrière de la Côte-des-Neiges. Elles s'éloignèrent beaucoup de la foule.

Lorsque tout à coup, une des jeunes filles attira l'attention de ses compagnes sur deux individus dont les manières leur semblaient étranges et qui semblaient les poursuivre en espionnant leur démarche, se cachant derrière les arbres. Toutes trois, saisies de frayeur, prirent une course dans la direction du chemin public, mais les deux étrangers masqués se mirent à leur poursuite et se ruèrent sur Ninie, laissant les autres, la ligotant et essayant de la bâillonner. Ninie eut recours à la force de ses poumons pour crier et appeler au secours, malgré les menaces de ses assaillants. Seuls, les croassements du corbeau et les sifflements du merle se font entendre à ses oreilles pour toute réponse à ses appels réitérés : "Au secours!" Elle est bâillonnée, ligotée et attachée à un arbre, épuisant en vain ses forces dans de grands efforts pour se débarrasser de ses liens! Les deux compagnes, qui avaient pu échapper, atteignirent vite le sentier public et virent un monsieur qui prenait une promenade à cheval; par leurs cris, par leurs signaux, elles firent comprendre le danger dont elles étaient menacées.

En une minute, il descend de son cheval. Tout ému, courageux et robuste, au risque de sa vie, il s'élance à gravir la hauteur. La fougère et les arbrisseaux lui vont à la ceinture. Ses yeux sont grands ouverts sur la scène qu'il entrevoit : deux hommes masqués battant avec des branches couvertes d'épines une jeune fille ligotée, bâillonnée, se tordant sous la douleur et la peur!

Trois coups de feu successifs retentirent dans la forêt. L'un des hommes masqués fut atteint à une région près du cœur et l'autre, au bras droit et à la jambe gauche; ils tombèrent par terre.

L'étranger, vainqueur, son arme encore fumante, encore terrible, pointée dans la direction des deux hommes étendus sur le sol et se roulant sous l'étreinte de la douleur, se hâte de délier la jeune fille qui, à demi-morte, saute au cou de son sauveur, l'arrosant de ses larmes et l'appelant son Sauveur. Les coups de feu avaient attiré aussitôt la présence de deux des gardes du Mont-Royal, mais les malfaiteurs avaient réussi à s'enfuir tandis que la jeune fille, suspendue au cou de son libérateur, l'empêchait de les poursuivre.

Lorsque les deux gardes arrivèrent, le jeune homme avait, sur ses genoux, la jeune fille qu'il venait de délivrer des mains de ces scélérats qui avaient pris la fuite; elle avait la tête appuyée sur son épaule, la figure et les bras tout tuméfiés et ensanglantés, ses vêtements tout salis et déchirés, pâle comme une morte, balbutiant seulement quelques mots : "Mon libérateur!" Il crut reconnaître son amie d'enfance, celle qui lui avait laissé tant de souvenirs; celle pour qui il avait décidé d'essayer de se faire grand, noble et instruit; celle qu'il avait voulu revoir après être reçu avocat ou médecin. Il jeta un regard d'étonnement sur cette tête aux joues pâlies par la frayeur, aux cheveux épars, à cette bouche demi-close et cette intelligence inconsciente, et lui demanda :

"Au Secours ! Au Secours !"

– Ninie, est-ce bien toi Ninie, il me semble te reconnaître? Est-ce bien toi?

Au son de sa voix, Ninie entrouvrit les yeux et, quoique sous le coup de l'émotion et de la douleur, elle murmura :

– Rogers, est-ce toi mon cher Rogers? D'où viens-tu? Mon Rogers, mon Sauveur! Sans toi, j'étais perdue à jamais! Qui t'a envoyé ici? Suis-je dans un rêve? Je suis si faible, mon Rogers, Rogers, mon sauveur! Rogers, Guigues, le lac Témiscamingue, mes amours! Rogers mon tout!

Le brave garçon serrait la jeune fille sur son cœur. Passant sa main sur son front, il pleurait abondamment : les deux personnes s'étaient reconnues. Les eaux du lac Témiscamingue les avaient bercés jadis et la destinée les faisait se rencontrer dans une circonstance aussi tragique après que tant de démarches faites par l'un et l'autre avaient toujours été infructueuses; ce que la volonté réciproque n'avait pu leur procurer, la destinée le leur rendit. Rogers, que la maladie avait forcé de quitter le séminaire, était devenu avocat. C'est lui qui alors libérait son amie des mains de ces scélérats et qui sauvait la vie à celle qu'il avait tant aimée et avec qui il avait passé cette soirée où il lui avait été donné de goûter, pour la première fois, les douceurs des baisers d'une jeune fille qui n'en avait jamais reçu!

Cette scène du lac Témiscamingue lui rappelait un souvenir qui le faisait pleurer de joie et, en même temps, traçait dans cette âme de débutant dans la vie réelle des impressions si profondes qu'elles furent pour lui, dans toute sa vie depuis, une source de considérations parmi lesquelles une absolue résignation en la volonté de Dieu.

Lui l'appelait Ninie! Elle l'appelait Rogers!

Tous ses souvenirs de jeunesse se présentaient à son esprit quand il reconnut la jeune fille qui était suspendue à son cou et qui l'appelait son Sauveur. Avec Alfred de Musset, il pouvait se dire :

"NINIE MON AMOUR, EST-CE BIEN TOI ?" —
ROGER MON SAUVEUR, MON TOUT. —

Un soir, nous étions seuls, j'étais assis près d'elle;
Elle penchait la tête et sur son clavecin
Laissait, tout en rêvant, flotter sa blanche main.
Ce n'était qu'un murmure : on eut dit les coups d'ailes
D'un zéphyr éloigné, glissant sur des roseaux,
Et craignent en passant, d'éveiller les oiseaux.
Les tièdes voluptés des nuits mélancoliques
Sortaient autour de nous, du calice des fleurs.
Les marronniers du parc et les chênes antiques
Se berçaient doucement sous leurs rameaux en pleurs.
Nous écoutions la nuit; la croisée entrouverte
Laissait venir à nous, les parfums du printemps;
Les vents étaient muets, la plaine était déserte :
Nous étions seuls, pensifs, et nous avions quinze ans.
Je regardais Lucie. – Elle était pâle et blonde,
Jamais deux yeux plus doux n'ont du ciel le plus pur
Sondé la profondeur et réfléchi l'azur.
Sa beauté m'enivrait : je n'aimais qu'elle au monde,
Mais je croyais l'aimer comme on aime une sœur,
Tant ce qui venait d'elle, était plein de pudeur!
Nous nous tûmes longtemps; ma main touchait la sienne,
Je regardais rêver son front triste et charmant,
Et je sentais dans l'âme, à chaque mouvement,
Combien peuvent sur nous, pour guérir toute peine,
Ces deux signes jumeaux de paix et de bonheur,
Jeunesse de visage et jeunesse de cœur.
La lune, se levant dans un ciel sans nuage,
D'un long réseau d'argent, tout à coup l'inonda.
Elle vit dans mes yeux, resplendir son image;
Son sourire semblait d'un ange, elle chanta.

– Rogers, mon sauveur, mon tout!

Les gardes ne pouvant rien comprendre de cet entretien mystérieux de Rogers et de Ninie, saisis d'admiration pour le courage intrépide du jeune homme et constatant qu'un rayon de joie inexprimable se reflétait sur la figure toute meurtrie de la jeune fille, permirent à Rogers d'amener, en sa demeure, celle qu'il venait de libérer, d'arracher à la mort.

CHAPITRE VI

La prenant dans ses bras vigoureux, il la plaça à côté de lui sur son cheval de selle et regagna sa demeure à Westmount, sur la Côte-Saint-Antoine où il venait d'acquérir une jolie résidence.

Une vieille fille, une des cousines de Rogers qui était, elle aussi, de Haileybury, tenait sa maison. Elle prodigua à la malade tous les soins que requérait son état. Le médecin appelé constata que la jeune fille, plutôt surexcitée que gravement malade, recouvrerait vite la santé.

Ninie raconta à Rogers tout ce qui s'était passé depuis leur séparation pour reprendre leurs études respectives. Elle ne lui cacha pas toutes les promenades qu'elle avait faites aux États-Unis où elle avait fait la connaissance de Harry, qu'elle dénonça comme son agresseur. Elle avait été victime de la vengeance de Harry!

Rogers se tint constamment, pendant plusieurs jours, auprès de celle sur qui il avait fondé autrefois tant d'espérances!

De son côté, il lui fit part de toutes les peines, de toutes les souffrances qu'il eut à endurer.

Il lui révéla toutes les heures d'indécision par lesquelles il fut obligé de passer pour choisir sa vocation.

Il était fier cependant de revoir sa petite amie d'enfance, encore toute pénétrée du souvenir de l'amour qu'il lui avait accordé.

Rogers, qui avait cueilli sur les lèvres de Ninie son premier baiser d'amour, qui avait été son premier amant, avait gardé son cœur libre de toute attache de toute amitié.

“ *Vivent les souvenirs*! Vivent ceux qui aiment et ceux qui ont aimé!” disait Rogers à son amie. L'amour est le mobile de toutes les grandes actions. Par Amour, on défend sa famille, ses parents! Par Amour, on défend son Alma Mater! Par Amour, on défend sa Patrie! Par Amour, on défend aussi au risque de sa vie même, sa fiancée!

* * *

Harry avait repris le chemin des États-Unis malgré une vigilance active des détectives qui surveillaient sa conduite à New York : il était question de le faire arrêter et incarcérer. Mais, comme c'était en quelque sorte compromettre l'avenir de Ninie, la chose fut laissée en suspens.

Il avait voulu se venger; il avait manqué son coup! L'amour, avec l'aide et la protection de la Providence, avait déjoué ses desseins.

Qu'il est beau d'aimer sincèrement! Rogers, sentant renaître dans son cœur toute l'amitié qu'il avait eue pour Ninie, la prit sous sa protection et recommença auprès d'elle les fréquentations qu'il avait souhaitées jadis.

Ninie ne savait comment témoigner sa vive reconnaissance à celui qui avait été son sauveur. Tout était résumé, pour elle, quand elle lui disait :

– Rogers, mon cher Rogers, je n'ai plus rien à moi, prends de moi tout ce dont je peux disposer; ma vie entière t'appartient : je suis toute à toi! Pour te rendre heureux et te témoigner ma reconnaissance, je te donne mon argent, mon cœur et ma vie!

Rogers, qui vit Ninie belle comme à ses seize ans, très instruite, courageuse et ayant bien réussi dans ses entreprises, la trouva digne de lui et songea fortement à en faire son épouse.

Quelques mois s'écoulèrent. Ninie avait repris son emploi, elle travaillait ardûment; elle recevait souvent la visite de son ami dont elle ne pouvait plus se séparer.

Harry était devenu employé comme le premier gérant d'une grande compagnie d'immeubles à New York. À la suite des chagrins qu'il avait éprouvés lors de sa séparation d'avec la jeune Canadienne, il s'était adonné à la boisson et à la passion des jeux de hasard. Il avait dépensé beaucoup; une partie de sa fortune y avait été dissipée. C'est à la suite de ces extravagances et de quelques revers de fortune qu'il subit, qu'il vendit ses magasins de bijouterie et occupa cette position de gérant de Cie d'immeubles.

CHAPITRE VI

À Montréal comme à New York, l'immeuble était à la hausse depuis plusieurs mois. Par certaines correspondances échangées au sujet d'affaires d'immeubles entre la Cie pour laquelle travaillait Harry et la Cie à Montréal où Rogers faisait de nombreuses transactions, Harry comprit qu'il était en face de son rival, de celui qui avait failli lui enlever la vie! Des recherches secrètes et une enquête minutieuse sur le sort de la jeune Canadienne lui avaient permis d'apprendre qu'elle était retournée à son emploi, qu'elle était courtisée par celui-là même qui lui avait sauvé la vie!

Harry, qui ne rêvait plus que méchanceté et vengeance, résolut de satisfaire sa haine et ne recula devant aucun moyen.

Rogers s'était, lui aussi, lancé orgueilleusement dans la spéculation de l'immeuble, en prévision de la hausse prochaine que tout le monde s'attendait que l'immeuble prendrait. Il achetait, échangeait et revendait.

Rogers n'était pas au courant du complot qui était tramé contre lui dans le but de le perdre à jamais!

Guidé par la bonne foi, enthousiasmé par de premiers gains, encouragé par ceux-là même qui travaillaient à le perdre sous le masque de l'hypocrisie et se proclamaient ses amis, il fit transactions sur transactions. Impossible pour lui de retenir dans sa tête toutes les conditions de toutes les spéculations qu'il faisait. Il mettait sa confiance en ses représentants parmi lesquels étaient comptés de ses ennemis, au service de Harry.

C'est ainsi qu'une irrégularité se glissa dans les actes notariés, irrégularité volontaire de la part de ses contractants, mais que Rogers ne put, par oubli et par surcroît de travail, corriger à temps. Il escompta la bonne foi de ses contractants, ne se doutant pas qu'il avait à faire le combat contre des rivaux, des ennemis terribles qui avaient juré sa perte!

Rogers continuait ses relations avec Ninie. Ils sortaient ensemble à toutes les fêtes auxquelles il leur prenait fantaisie d'assister.

Souvent, leurs soirées se passaient dans l'intimité. Ninie avait donné à Rogers et son cœur et son âme et sa vie. Les fiançailles avaient eu lieu; la date du mariage était fixée. Certaines circonstances en avaient fait fixer la date à une époque assez lointaine, quoique bien déterminée. Leur relation était très connue du public : ils s'aimaient beaucoup!

Ils ne rencontraient plus sur leur route les obstacles qui s'étaient présentés autrefois! Ils étaient libres de leur conduite, maîtres de leurs actes, majeurs, et marchant vers un même but qu'ils espéraient bientôt atteindre.

Il n'y avait pas de beaux dimanches que ces amis ne se plaisaient à prendre une promenade d'automobile à Plattsburgh, St-Albans, Montpellier, Malone ou à d'autres villes américaines.

Harry, jaloux du bonheur de ce jeune couple, continuait à tramer le complot qui devait un jour causer une grande sensation dans le cercle d'amis et de connaissances de Rogers.

CHAPITRE VII

TITRE I

DURES ÉPREUVES DE ROGERS

Cloris, que dans mon cœur, j'ai si longtemps servie,
Et que ma passion montre à tout l'univers,
Ne veux-tu pas changer le destin de ma vie,
Et donner de beaux jours à mes derniers hivers?

N'oppose plus ton deuil au bonheur où j'aspire.
Ton visage est-il fait pour demeurer voilé?
Sors de ta nuit funèbre, et permets que j'admire
Les divines clartés des yeux qui m'ont brûlé.

Ce n'est pas d'aujourd'hui que je suis ta conquête;
Huit lustres ont suivi le jour que tu me pris;
Et j'ai fidèlement aimé ta belle tête
Sous des cheveux châtains, et sous des cheveux gris.

C'est de tes jeunes yeux que mon ardeur est née,
C'est de leurs premiers traits que je fus abattu;
Mais tant que tu brûlas du flambeau d'hyménée,
Mon amour se cacha pour plaire à ta vertu.

Je sais de quel respect, il faut que je t'honore,
Et mes ressentiments ne l'ont pas violé;
Si quelquefois, j'ai dit le soin qui me dévore,
C'est à des confidents qui n'ont jamais parlé.

Pour adoucir l'aigreur des peines que j'endure
Je me plains aux rochers, et demande conseil
À ces vieilles forêts, dont l'épaisse verdure
Fait de si belles nuits, en dépit du soleil.

AMOUR VAINQUEUR

L'âme pleine d'amour et de mélancolie,
Et couché sur des fleurs et sous des orangers,
J'ai montré ma blessure aux deux mers d'Italie,
Et fait dire ton nom aux échos étrangers.

Cloris, la passion que mon cœur t'a jurée,
Ne trouve point d'exemple aux siècles les plus vieux.
Amour et Nature admirent la durée
Du feu de mes désirs, et du feu de tes yeux.

La beauté qui te suit depuis ton premier âge,
Au déclin de tes yeux ne veut pas te laisser;
Et le temps, orgueilleux d'avoir fait ton visage,
En conserve l'éclat, et craint de l'effacer.

Regarde sans frayeur la fin de toutes choses,
Consulte ton miroir avec des yeux contents.
On ne voit point tomber, ni tes lis, ni tes roses,
Et l'hiver de ta vie est ton second printemps.

Pour moi, je cède aux ans, et ma tête chenue
M'apprend qu'il faut quitter les hommes et le jour;
Mon sang se refroidit; ma force diminue;
Et je serais sans feu, si j'étais sans amour.

(François MAYNARD)

Rogers poursuivait ses opérations financières en luttant avec énergie. Il conservait, pour sa belle adorée, toute la confiance et l'amitié qu'il lui avait jusqu'alors accordées; mais Ninie, quoique jeune encore, se sentait le besoin de prendre un repos après de longs mois de travail opiniâtre et ardu.

Les vacances de l'été font se déplacer, souvent, même des gens qui n'ont jamais quitté leur foyer; les vacances de l'été font se séparer les jeunes élèves de collège qui, entraînés en des endroits bien différents, se voient obligés de recourir à la correspondance pour pouvoir entretenir les relations amicales qui les liaient alors qu'ils étaient en contact journalier sous le même toit de l'Alma Mater; les vacances de l'été font aussi que les amis de cœur se voient forcés de se retirer, de se séparer, pour jouir du repos bien mérité et vivifier les forces dont ils ont besoin pour entreprendre le travail d'une nouvelle année qui s'ouvre devant eux.

Ninie décida de prendre des vacances et en fit part à son ami Rogers qui, quoique admettant qu'elle en avait besoin pour refaire sa santé, éprouva un cruel chagrin de cette séparation momentanée.

– Ninie, mon amie, lui dit-il, je ne puis pas t'accompagner; les affaires que j'ai entreprises sont si importantes que je ne saurais me résoudre à te faire le plaisir d'accepter ton invitation. J'ai des ennuis, je dois te l'avouer; on a tramé contre moi un complot dont je viens de découvrir l'origine. Il a pris naissance dans l'office même de ton ancien ami Harry, à New York. Il est puissant par la position de ceux qui l'entourent et qui seront peut-être au nombre de mes ennemis; les uns seront ses avocats, les autres seront mes accusateurs et le juge même devant qui doit être entendue cette cause est aussi un ami intime de Harry. Il est bien vrai que le nom de Harry ne figure pas dans les procédures, mais je sais de source certaine que le plaignant, d'une insolvabilité notoire, n'est qu'un instrument, une machine, un prête-nom; mais j'ose espérer faire triompher mon innocence!

– Que me dis-tu là, Rogers? Tu dois subir, devant les tribunaux, la vengeance de Harry et de ses puissants amis? Mais de quelle manière?

Ninie, toute surprise de cette déclaration, voulut avoir d'autres détails, mais Rogers la rassura en lui disant qu'il était prêt pour le combat; qu'il avait pour lui la justice et le droit; mais que cette cause exigeait toute son attention.

– L'amour que je t'ai porté, l'estime que je te porte voudraient que je t'accompagne dans ces vacances, mais le combat que je dois livrer est si terrible que je ne saurais me rendre à cet impérieux devoir de l'amitié sans m'exposer aux pires dangers. Je veux continuer à étudier d'où vient ce combat et quels sont les auteurs de ces attaques; les ennemis sont nombreux; je les vois dissimuler leurs agissements et leurs ruses sous le masque de l'hypocrisie. Car la baisse sur les valeurs immobilières se fait forte, par les bruits d'une grande guerre qui doit ensanglanter l'Europe et dont les conséquences néfastes se feront sentir même à Montréal; et ceux qui craignent de faire des pertes se rallient autour de Harry qui a soulevé contre moi, à l'aide de certains amis qu'il a payés, une pléiade d'ignorants, de gens incapables de supporter noblement une perte d'argent due réellement à leur imprévoyance, à leur ambition effrénée ou à l'état circonstanciel des événements. Ces gens à qui Harry promet de les faire rentrer dans leur argent sont ses esclaves, foulant aux pieds et leur parole et leur honneur. Ces ennemis se tiennent constamment sur la rue, où ils tiennent leurs conciliabules, cherchant à faire croire au public que Rogers est malhonnête, que tous ceux qui ont transigé avec lui ont perdu de l'argent. Ils ne regardent pas autour d'eux et ne voient pas que déjà, la baisse en immeubles en a ruiné des hommes d'affaires! Mais Harry et son ami le millionnaire sont les fomentateurs de ce procès qu'il me faut subir.

– Va, Ninie, lui dit-il, va vers tes parents et reviens-moi forte et vigoureuse, et j'ose croire que ton cœur, en face du péril qui me menace et des jours d'épreuves qu'il me faudra traverser, ne saura changer ses affections et me restera fidèle, comme mon meilleur appui.

– Oh! Rogers, lui répondit la jeune fille, je renonce à mon projet de prendre des vacances. Je veux rester auprès de toi pour t'être utile, pour te défendre et te consoler dans tes peines si quelqu'un t'en cause. La reconnaissance que je te dois est sans bornes! Tu m'as sauvé la vie! Harry m'a attaquée! Tu m'as défendue. Harry veut encore se vouer à sa vengeance, hé bien! s'il t'attaque, je te défendrai! Il porte encore et portera tout le temps de sa vie les cicatrices que les balles de ton revolver lui ont infligées; il portera aussi, au front, les stigmates du déshonneur que ma plume lui infligera en laissant à ses contemporains le récit écrit de ses basses manœuvres! Il n'aura pas assez de milliers de piastres pour racheter les volumes qui auront été répandus parmi ses contemporains! Il emportera dans la tombe la honte que je lui causerai!

CHAPITRE VII

– Non, Ninie, mon amie, ne fais donc pas cela! Ne t'expose pas à un libelle; il pourrait te causer beaucoup d'ennuis, de troubles. J'essaierai plutôt, par la voie diplomatique, de mettre cette cause à néant. Tu pourras prendre tes vacances, car d'ailleurs, les procédures sont longues et cette cause sensationnelle ne viendra pas devant les tribunaux avant l'hiver prochain. Va prendre tes vacances. Ta santé requiert du repos.

– Crois-moi, Rogers, n'aie pas de doute sur la fidélité de mon cœur. Ma vie entière t'appartient! Je connais la méchanceté de Harry. S'il allait jusqu'à oser attaquer ton honneur, ta réputation et que le public te croyait coupable, je redoublerais d'ardeur pour faire prouver ton innocence, un jour ou l'autre! Je prierai Dieu si fervemment que tu triompheras, sois-en sûr. Rogers, ajouta la jeune fille, si quelque chose arrivait pendant mon absence, fais-le-moi savoir et j'accourrai auprès de toi pour te délivrer, si possible, comme tu l'as fait à mon égard, des basses attaques de Harry et de sa clique qui opèrent toujours dans l'ombre. Il est trop lâche pour faire face à un homme pas même à une jeune fille. Oui, Rogers, je te défendrai!

– Mon amie, il n'y a pas à s'alarmer pour le moment. Prends tes vacances sans inquiétudes. À ton retour, nous en causerons.

Tous deux, Rogers et Ninie, s'embrassèrent, se jurant de nouveau amitié éternelle et, s'asseyant, après cette longue marche sur le Mont-Royal, sur un tronc d'un gros arbre renversé et couvert de mousse, se mirent à causer des déboires de la vie et à se rappeler leurs souvenirs d'enfance et de jeunesse! Et, avec Auguste Brieux, ils se rappelèrent :

Un jour que nous étions assis au pont Kerlo
Laissant pendre, en riant, nos pieds, au fil de l'eau,
Joyeux de la troubler, ou bien, à son passage
D'arrêter un rameau, quelque flottant herbage,
Ou sous les saules verts d'effrayer le poisson,
Qui venait au ciel dormir près du gazon :
Seuls en ce lieu sauvage, et nul bruit, nulle haleine
N'éveillant la vallée immobile et sereine,
Hors nos ris enfantins, et l'écho de nos voix

Qui partait par volée et courait dans les bois
Car entre deux forêts, la rivière encaissée
Coulait jusqu'à la mer, lente, claire, et glacée;
Seuls, dis-je, en ce désert, et libres tout le jour,
Nous sentions en jouant, nos cœurs remplis d'amour.
C'était plaisir de voir, sous l'eau limpide et bleue,
Mille petits poissons faisant frémir leur queue,
Se mordre, se poursuivre, ou par bandes nageant,
Ouvrir et refermer leurs nageoires d'argent;
Puis les saumons bruyants; et, sous son lit de pierre,
L'anguille qui se cache au bord de la rivière;
Des insectes sans nombre ailés ou transparents,
Occupés tout le jour à monter les courants,
Abeilles, moucherons, alertes demoiselles,
Se sauvant sous le jonc, du bec des hirondelles.
Sur la main de Marie, une vint se poser,
Si bizarre d'aspect, qu'afin de l'écraser,
J'accourus : mais déjà, ma jeune paysanne
Par l'aile, avait saisi la mouche diaphane,
Et voyant la pauvrette, en ses doigts remuer :
"Mon Dieu, comme elle tremble! oh! pourquoi la tuer?"
Dit-elle. Et dans les airs, sa bouche ronde et pure,
Souffla légèrement la frêle créature,
Qui, déployant soudain, ses deux ailes de feu,
Partit, et s'éleva joyeuse et louant Dieu.

Bien des jours ont passé depuis cette journée,
Hélas et bien des ans! Dans ma quinzième année,
Enfant, j'entrais alors; mais les jours et les ans
Ont passé sans ternir ces souvenirs d'enfant;
Et d'autres jours viendront et des amours nouvelles,
Dans l'ombre de mon cœur, mes plus fraîches amours,
Mes amours de quinze ans refleuriront toujours.

CHAPITRE VII

TITRE II

VACANCES DE NINIE

Les moissonneurs étaient à leurs travaux; les paysans de Haileybury, tous occupés, laissaient la jolie petite ville dans un calme auquel Ninie était peu habituée. Comme elle avait passé plusieurs années dans la grande ville de Montréal et quelques mois aux États-Unis, elle éprouvait un grand vide dans son cœur.

Arrivée à Guigues, au milieu de sa famille, elle fut heureuse de revoir tous ses parents que cette absence prolongée avait tenus séparés d'elle. À tous les soirs, des amis, des voisins venaient à la maison paternelle pour l'entendre parler de Montréal, de New York, et poser toutes sortes de questions à la jeune fille, concernant les affaires.

Sa santé se rétablit peu à peu. Elle aimait toujours passionnément les fleurs; aussi passait-elle de longues heures dans le jardin de sa mère avec qui elle conversait de son amour avec Rogers et de ses aventures avec Harry. Sa mère avait eu beaucoup de considération pour Rogers et l'avait trouvé si bon, si gentil, quand il était jeune homme, qu'il lui semblait devoir lui accorder encore et sa confiance et son estime. Le récit du terrible malheur auquel Ninie avait échappé, grâce à la bravoure de Rogers, faisait verser des larmes à sa bonne mère qui aurait désiré à voir ce jeune homme pour lui témoigner, de vive voix, sa profonde reconnaissance.

Avec son jeune frère, Ninie allait courir dans les bois, cueillir des bleuets et des framboises. Elle le suivait dans ses excursions de pêche à la rivière La Loutre qui lui rappelait tant d'heures de son enfance!

Il lui plaisait de repasser dans sa mémoire tous les souvenirs qu'elle y avait laissés dans sa jeunesse. Rien ne lui faisait tant de plaisir que d'aller avec son jeune frère, en chaloupe, sur les flots du lac Témiscamingue qui avait été témoin de ses premiers élans d'amour.

Souvent, de jeunes amies venaient lui rendre visite et enviaient son sort! Elles se rappelaient avoir entendu dire que cette jeune compagne avait beaucoup combattu et avait beaucoup travaillé! Ses succès couronnaient tous ses efforts.

Au milieu d'elles, elle semblait être très heureuse! Mais, à peine était-elle seule, qu'elle revenait à ses rêveries, que ses pensées étaient, tout de suite, portées vers celui dont l'absence jetait un voile de triste mélancolie sur toutes les joies qu'elle éprouvait dans ses vacances.

Assise au milieu du jardin, à l'ombre d'un gros pin, à côté d'une touffe de rosiers en fleurs, dans le plus profond silence que seuls les bourdonnements des abeilles savourant le miel des roses et le voltigement des papillons troublaient. Elle laissait errer son imagination féconde vers l'avenir, vers le bonheur qu'elle rêvait pour son ami et pour elle-même. Souvent, le soir aussi, quand le soleil versait de ses derniers feux l'éclat pourpre de ses rayons sur cette nature verdoyante, elle laissait son âme s'envoler auprès de Rogers dont l'ennui lui faisait soupirer après la fin de ses vacances.

En lutte à toutes sortes de démarches de jeunes amis qui désiraient lui faire la cour, Ninie songeait à abréger le temps qu'elle s'était proposé de passer dans sa famille. Elle aimait trop son Rogers, elle lui avait trop promis fidélité et amour constant pour se permettre de recevoir la visite de jeunes amis.

Elle préférait aux plaisirs de la conversation de jeunes gens sur qui, cependant, elle aurait pu compter pour se faire un avenir heureux, sa solitude où elle croyait goûter les charmes de doux entretiens, par la pensée, avec son ami Rogers. Elle l'aimait plus que jamais; elle regrettait parfois l'avoir quitté! Il lui semblait qu'il aurait de la peine et, par ce fait, elle en éprouvait.

Toute son âme était auprès de lui; elle avait traversé les distances, franchi les espaces; mais elle ne pouvait jouir ni goûter le plaisir de se voir pressée sur son cœur; elle ne pouvait le voir; elle était inquiète de lui! "Que fait-il, en ce moment, se demandait-elle souvent? Pense-t-il encore à moi?"

Rogers lui avait promis de lui répondre! Déjà trois semaines s'étaient écoulées et les trois lettres qu'elle lui avait adressées étaient demeurées sans réponse!

Ninie devenait de plus en plus triste!

Elle écrivit de nouveau, mais cette fois à une amie de Montréal à qui elle demandait de bien vouloir lui dire ce qu'était devenu Rogers. Son amie, sans malice sans doute, lui laissa savoir qu'elle l'avait vu en compagnie d'une autre jeune fille.

– Ma chère Ninie, lui dit un jour sa mère, s'apercevant du trouble dans lequel était plongée l'âme de sa fille chaque fois qu'un membre de la famille revenant du bureau des postes, répondait : "Non, ma chère Ninie, pas de lettres pour toi", tu dois savoir que dans la vie, l'amour est une feuille à l'arbre; la brise la plus légère la détache du cœur. Rogers t'a aimée. Ton départ lui a peut-être aussi causé beaucoup de chagrin! Aurait-il cru que tu ne l'aimais pas beaucoup pour que tu consentisses à le quitter ainsi.

– Pourtant, ma mère, il a compris que ma santé requérait du repos. Il m'a juré de me garder son cœur!

– Mais, ma chère Ninie, dans les grandes villes comme Montréal, les hommes sont-ils sincères? Oh, sois donc indépendante, ne prends pas de peine. Tu lui as écrit, il ne t'a pas répondu, ton amie te dit l'avoir vu en compagnie d'une autre jeune fille! Alors, prends donc ton repos, amuse-toi bien. Tu as bien le temps de te mettre dans la vie rude du mariage où les épreuves sont plus abondantes que dans le genre de vie du célibat.

La mère fit, auprès de sa fille, toutes les représentations possibles pour l'engager, non pas à oublier son ami, mais à ne pas éprouver de chagrin inutile.

– Oh, mère, reprit la jeune fille, incapable de croire à la trahison de Rogers, il doit être malade, car je suis certaine qu'il m'aimait et qu'il n'a pas pu changer d'idée si vite!

– Mon enfant, ajouta la mère, il est avocat et homme d'affaires. Aurait-il rencontré, sur sa route, une jeune fille très riche qu'il a pu se laisser emporter vers une orientation toute nouvelle dans ses amours? Surtout si, comme tu me le dis, il avait des troubles financiers! Un mariage d'argent serait pour lui la fin de ses tourments! Allons ma chère enfant, n'y pense plus pour le moment.

Plusieurs jours encore s'écoulèrent. Ninie ne reçut de Rogers, aucune nouvelle. Alors, elle prit la décision de suivre les conseils de sa mère; elle donna libre cours à toutes ses réflexions! "Je vois que mon amour est incompris et que ma mère a raison! Ma nature bonne, généreuse est abusée! Puisque le sort veut que mon cœur souffre dans ses amours, désormais, se disait-elle à elle-même, plus d'amour!"

Mais à peine avait-elle pris cette décision que, revenant aux souvenirs de toutes les promesses, de tous les serments que Rogers lui avait faits, elle se plaisait à l'excuser et se décida de lui adresser encore une dernière missive avec une note au coin gauche de l'enveloppe : prière de retourner après trois jours à ...

Cette communication révélait l'état d'âme de Ninie. Elle lui dépeignait son chagrin et sa douleur et lui demandait de bien vouloir lui faire savoir ce qu'il avait décidé, quelle était la cause de son silence. Elle le rassurait de la fidélité de son amour. "Ma vie tout entière t'appartient, tu le sais, Rogers, et je n'ai jamais songé un instant, lui disait-elle, à te reprendre mon amour! Si tu ne m'aimes plus ou que les circonstances t'aient forcé à lier d'autres amours, veuille donc *me le dire*!"

CHAPITRE VII

Les coïncidences, dans la vie, comptent souvent des déceptions et occasionnent aussi des surprises auxquelles personne n'est en droit de s'attendre.

Ninie se résigna peu à peu à la circonstance!

Son cœur se refroidit et devint plus indifférent. Elle tournait ses pensées vers les choses pratiques. Blessée dans son amour le plus vivace, le plus noble qu'elle ait jamais accordé à aucun jeune homme, elle perdit espérance de ne pouvoir jamais plus aimer!

Les meurtrissures de son cœur étaient si profondes qu'elle ne croyait pouvoir jamais les guérir autrement que par des distractions renouvelées maintes fois. Elle ne se sentait plus capable de croire à l'existence de l'amour! "Aussi, se disait-elle à elle-même, si je me marie maintenant, je me marierai avec un homme riche!" Elle ne voyait plus dans la vie, non pas ce que son âme de jeune fille croyait y trouver de suave, de rose, mais elle n'y voyait qu'un moyen pour les âmes intelligentes et incomprises de demeurer dans le célibat pour jouir de l'indépendance et du bien-être!

Elle ne voyait dans la vie qu'un but pour la plupart du monde : celui de réussir! Aussi, cette idée lui vint à l'esprit de faire comme les autres, d'épouser non pas selon son cœur, mais selon les lumières de sa raison. "Faire un mariage 'riche et chic', voilà, se disait-elle, le but général des jeunes gens! Hé bien, je suivrai la voie tracée!" Elle n'aurait pas eu de difficultés, car ses connaissances, son expérience, sa jolie prestance lui auraient permis de rencontrer facilement un parti de bonne et riche société.

Après quelques jours passés à méditer, elle se demanda si elle devait renoncer à jamais et définitivement à l'amour de Rogers. Sa conduite silencieuse l'obligeait à en conclure à de la mauvaise foi et elle ne put s'empêcher de le croire indélicat à son égard.

Un dimanche après-midi, juste le lendemain d'une journée de vaine attente, un jeune homme bien mis se présenta chez les parents de Ninie. Elle reconnut cet ami; elle l'avait rencontré déjà à Haileybury : c'était M. Walter Burrage. Il avait aimé cette jeune fille; il n'avait osé lui rendre visite, vu qu'il avait entendu parler qu'elle devait épouser Rogers. Mais depuis quelque temps, une amie de cœur à qui Ninie avait confié son chagrin de se voir délaissée par lui, avait, sans attention ni but défini, parlé de cette confidence à M. Burrage qui crut le moment favorable pour faire des démarches auprès d'elle. Ce M. Burrage était alors à l'emploi de M. Timmins, l'un des riches propriétaires de mines à Cobalt et à Porcupine. C'était l'un des hommes de confiance de M. Timmins. Il était de moyenne taille; il avait de beaux cheveux noirs, l'œil perçant et vif; sa figure n'était pas jolie, mais très intelligente; sa démarche était celle d'un homme sûr de son affaire, résolu et actif!

Il avait l'allure du *"gentleman"* et toutes les manières de l'homme énergique. Ne dépassant pas la trentaine, il n'avait pas encore perdu la gaieté, quoique livré beaucoup aux affaires. M. Timmins l'honorait non seulement de sa confiance en affaires, mais lui accordait aussi son estime personnelle; en effet, il était très courtois et avait un savoir vivre distingué!

C'était vers le temps où Mgr Latulippe venait de doter Haileybury d'un des édifices les plus considérables des environs. En effet, M. Timmins, dans un élan de générosité, avait donné un cadeau de plusieurs milliers de piastres à Mgr l'évêque qui, avec l'aide et la contribution des autres francs tenanciers de la localité, lui permirent d'ériger l'une des plus belles églises des paroisses des cantons du Témiscamingue; bien que M. Timmins l'eût fait sous une forme *incognito*, la ville et la paroisse de Haileybury n'en bénéficièrent pas moins.

Ninie reçut ce jeune homme avec le sourire sur les lèvres, car elle devina tout de suite que M. Burrage, qui était l'ami intime de Rogers, avait dû apprendre qu'il avait décidé de briser ses amours avec elle. La jeune fille était obligée tout de même d'étouffer, dans son cœur, le chagrin qu'elle ressentait à la pensée de recommencer de nouvelles amitiés, d'oublier tant d'heures agréables, de fermer les yeux à jamais sur toutes les premières scènes d'amour! Elle se sentait indifférente à la mort, parfois même l'aurait désirée et appelée si elle eut cru ne pas blesser sa conscience, tant elle éprouvait de la répugnance à vivre sans amours! Ce M. Burrage lui apparaissait doué de qualités; mais plus elle causait avec lui, plus elle était portée à faire la comparaison avec son ami. Elle ne se sentait aucun attrait, aucun penchant pour M. Burrage. Elle l'estimait beaucoup mais, bien qu'il renouvelât ses visites, il ne put capter son amour. "Peut-être, se disait-elle, mon cœur est encore trop sous le coup du chagrin éprouvé, pour pouvoir aimer de nouveau."

De ce nouvel ami, Ninie accepta l'invitation de faire une promenade en voiture. M. Burrage se montra très gentil, très aimable et l'entourait de toute sa bienveillance; mais elle trouvait toujours que sa conversation n'était pas aussi agréable que celle de Rogers. Malgré tous les efforts qu'elle fît pour chasser de son esprit le souvenir de Rogers, souvent, elle se surprenait à converser avec lui comme si elle n'eut pas ressenti un jour de l'indifférence, de la haine même pour cet ami.

Sans doute, elle n'avait que des louanges à faire sur les qualités de M. Burrage. Elle l'estimait beaucoup. D'ailleurs, ses parents l'appréciaient aussi, en parlaient avec avantage et ils se sentaient heureux et honorés de voir leur fille fréquentée aussi publiquement par un Monsieur aussi bien rangé et qui avait l'estime de toute la famille de M. Timmins, et dont les amis étaient comptés dans la plus belle classe de la société de Haileybury! Mais, Ninie ne reconnaissait pas en lui les qualités de Rogers; celui-ci, de sa parole chaude et animée, enthousiaste et idéaliste dans ses sentiments, la transportait jusque dans les atmosphères éthérées ou sur des rivages de mers lointaines, pour y rêver avec elle et goûter le bonheur de faire des châteaux, de se préparer un avenir commun, beau et grand!

De quelques fines expressions, il savait la tirer soudainement de ses rêves lointains pour la ramener, en un clin d'œil, à une question des plus pratiques ou, par une saillie des plus spirituelles, la faire rire d'une joie enfantine et légère! M. Burrage était plus froid; doué d'un jugement solide, il avait pris l'habitude de toujours hésiter un moment avant de répondre, ce qui enlevait du charme à sa conversation.

À la vue des flots du lac Témiscamingue, à la pensée de sa délivrance de la mort, au souvenir de mille moments agréables goûtés en compagnie de Rogers, Ninie eut encore la tentation de l'aimer et de s'assurer si réellement, il n'avait pas de raisons suffisantes pour expliquer son silence.

"Mais pourtant, se disait-elle à elle-même, n'a-t-il pas été assez méchant? Ne m'a-t-il pas assez fait souffrir? Ne pouvait-il pas m'écrire? D'ailleurs, pourquoi ces sorties avec cette autre jeune fille? Oh! se disait-elle tout à coup, s'il fallait que cette demoiselle fût sa sœur! S'il était malade!" Elle commença à avoir des doutes sur sa propre conduite! "Ne s'était-elle pas monté la tête trop vite? N'aurait-il pas mieux valu, pour elle, attendre son retour à Montréal avant de recevoir d'autres amis? Mais pourtant, M. Burrage ne serait pas venu me voir s'il n'eut pas su de Rogers même qu'il m'avait délaissée : c'est son ami!"

Ninie passa une nuit ainsi à se faire toutes sortes de questions, plaidant le pour et le contre de sa cause maintes et maintes fois et en arrivait toujours à la conclusion de continuer à recevoir M. Burrage.

C'était, dans le cours de la semaine, l'entrée des classes des divers élèves de la campagne. Ninie, comme ancienne institutrice, avait reçu de M. le Curé de Guigues, M. Moutet, une invitation d'y assister, à l'école même où elle avait enseigné pendant de longs mois. Elle se fit accompagner de M. Burrage qui connaissait bien M. le Curé et les Commissaires, à cette ouverture de classe qui lui rappelait aussi tant de souvenirs.

Les élèves subissaient un examen sur toutes les matières qui faisaient le sujet du programme de l'enseignement afin de pouvoir permettre aux examinateurs de constater quels étaient les progrès des élèves.

Dans la classe des grandes filles, une enfant de quatorze ans, jolie, intelligente, châtaine, de grands yeux bruns, de longs cheveux ondulés et touffus lui tombant sur la taille, d'un teint blanc, aux joues roses et aux bras potelés, avait attiré l'attention des examinateurs par la manière dont elle répondait aux questions.

– Mademoiselle, demanda M. Burrage à Ninie, qui est donc cette jolie jeune fille? Pour son âge, elle répond très bien; n'avez-vous pas remarqué sa jolie chevelure, son regard intelligent? Tenez, regardez donc, quel beau sourire! Est-elle belle, cette enfant?

À ce moment, Ninie se sentit toute troublée. Pourtant jusqu'alors, elle ne s'était jamais connue jalouse!

Comme elle se vit seule au monde! Son cœur devint désert et vaste comme les horizons de l'univers.

Perdue dans l'amour et l'estime de Rogers qu'elle n'espérait plus revoir, incomprise de ce nouvel ami qu'elle trouvait pour le moins indélicat, elle constata que tout le firmament de son cœur était voilé de gros nuages sombres qui lui annonçaient la venue d'un orage dont elle redoutait les ravages.

Elle crut qu'il semblait éprouver beaucoup plus d'admiration et d'estime pour la beauté de cette jeune fille qu'il ne paraissait lui prêter attention. "Oh! il ne m'aime pas, se disait-elle, et moi non plus, je ne l'aime pas. Il ne connaît pas l'amour. C'est un homme que je ne comprends pas! Aussi, mieux vaut vivre '*vieille fille*' incomprise que de vivre avec un homme que je ne pourrais aimer et que je n'aime pas."

– Mais, mademoiselle, continua M. Burrage, savez-vous que cette jeune fille est charmante, qu'elle mérite d'être poussée, encouragée et d'être envoyée au couvent? Voyez donc ces belles dents blanches, cette figure de fin minois encadrée dans cette chevelure touffue et ondulée! Elle ferait une demoiselle distinguée!

– Oh! elle est bien légère; elle est jolie, mais n'a pas beaucoup d'intelligence! reprit Ninie, comme pour sonder le fond du cœur du nouvel ami.

– Mais, c'est une enfant, dit M. Burrage; avec les années et l'instruction, elle mûrira ses idées. Sa figure, ajouta-t-il, indique un grand cœur. Elle sera amoureuse; regardez sa belle bouche, ses jolies lèvres; oui, elle sera amoureuse des beaux-arts et aussi très affectueuse et sensitive!

– Ne la connaissez-vous pas?

– Non mademoiselle! Et vous la connaissez?

– Oui monsieur, je la connais; mais, pardonnez-moi ma question, avez-vous l'intention de lui faire la cour? En ce cas, vous pourriez revenir chez moi, elle prendra tout simplement ma place au salon : c'est ma petite sœur. Mais j'ose croire que quoique jeune et naïve, elle ne tombera pas sous les flatteries de compliments un peu exagérés et ne servira pas de pâture à la convoitise de gourmands.

– Mademoiselle, vraiment, vous êtes en colère, reprit M. Burrage.

En jetant un coup d'œil sur la figure de son amie, il constata qu'elle était surexcitée et énervée et ne pouvait dissimuler la profonde blessure qu'il lui avait causée au cœur par ses remarques plutôt irréfléchies et dites à la suite de distractions d'affaires qui l'occupaient continuellement.

– Mademoiselle, lui dit M. Burrage, ne vous emportez pas, ne vous irritez pas contre moi. Les quelques remarques favorables que je viens de faire sur le compte de votre sœur n'auraient pas dû vous blesser; vous ne devez pas douter un seul instant que j'aie eu l'idée de penser à cette jeune fille; vous devez comprendre que je ne saurais espérer ni attendre de l'amour de ce cœur si jeune, incapable encore de comprendre même ce que c'est que d'aimer. Je suis trop sérieux, Mlle, pour m'arrêter à des réflexions qui auraient pu vous causer de la peine; si j'eusse réellement éprouvé les sentiments d'affection que vous paraissez croire que j'ai eus pour cette jeune enfant, je ne vous les aurais pas exprimés si ouvertement, n'est-ce pas? Aurais-je le désir d'aimer, de chercher une petite épouse ayant toutes les qualités suivant mes goûts et mon appréciation, savez-vous que je ne penserais à faire autre chose que de continuer mes visites auprès de vous, si je recevais des invitations de plus en plus engageantes de votre part?

Alors, comme satisfaite et convaincue de l'amitié et de l'estime que M. Burrage lui portait, elle lui dit :

– Cher Monsieur, si j'ai porté de l'intérêt à vos paroles, à vos remarques, c'est que, je dois vous l'avouer, vous commenciez à gagner mon estime et mon amitié. J'admirais chez vous vos manières distinguées et le jugement sûr d'un homme d'affaires expérimenté.

– Je vous remercie Mlle de votre compliment et j'ose croire que vous continuerez à voir, chez moi, les mêmes qualités. Je tiens à avoir votre estime. Vous me connaissez, votre famille me connaît encore plus intimement que vous et vous savez que je n'ai pas pour habitude d'en faire croire aux jeunes filles que j'ai très peu fréquentées d'ailleurs! Si je me permets de telles démarches auprès de vous, c'est que je reconnaissais que vous aviez toutes les qualités d'une bonne petite épouse et que j'espérais pouvoir mériter votre estime au point de me permettre de vous rendre visite dans le but de nous connaître et de juger nos caractères.

Retournant à la demeure de Ninie, M. Burrage porta un intérêt particulier à la conversation de son amie. Il s'intéressait à tous les mouvements et à toutes les inspirations de son âme : il l'aimait sincèrement. Le sang-froid avec lequel il lui avait répondu alors qu'elle était sur le point de s'emporter contre lui et qu'elle ne pouvait plus dominer ses nerfs, l'avait fait aimer et apprécier davantage! Elle ne le détestait plus; les remarques qu'il avait faites sur le compte de sa jeune soeur lui avaient fait de la peine; elle l'avait trouvé indélicat et l'avait jugé pour un homme peu sincère et changeant, mais elle ne le détestait plus.

Elle reçut encore quelques visites de son ami M. Burrage; mais toute l'estime qu'elle avait pour lui ne grandissait pas et elle ne ressentait pas, dans son cœur, le feu de l'amour qui dévore les amoureux. Souvent même, elle avait hâte de le voir partir. De longs moments, alors qu'ils étaient assis en présence l'un de l'autre, se passaient dans le silence; elle avait beau chercher des sujets qui pouvaient l'intéresser, la conversation était toujours, pour elle, ennuyeuse, languissante et traînante! Une semaine après, comme Ninie ne recevait aucune nouvelle de Rogers, elle se voyait trompée dans ce qu'il y a de plus noble dans toute son existence, marchant sans but, sans destination, indécise et incomprise. Comme elle ne pouvait se décider à unir sa destinée à celle de cet ami, bon citoyen pourtant, M. Burrage, elle réunit dans sa mémoire et dans son cœur tous ses souvenirs, tous ceux qui lui étaient les plus agréables, ceux surtout lui rappelant tous les beaux moments passés avec son Rogers et décida de se retirer des amusements de la société pour ne plus vivre désormais que de la joie de ses souvenirs!

Pourtant, elle était encore bien jeune! Vingt-quatre ans n'avaient pas encore fait disparaître la grâce et la beauté de ses sourires.

Mais aimer par la raison ce M. Burrage pour qui son cœur n'éprouvait aucun amour! Elle ne pouvait s'y résoudre, car c'était risquer son bonheur pour la vie! Elle avait bien pour lui de l'estime; elle le trouvait bon, doux; ses connaissances étaient vastes. Par certains moments, quand il n'avait pas la tête trop occupée aux affaires, il était même aimable et intéressant en conversation; mais, en faire son époux, son confident entre les mains de qui elle déposerait le trésor de son amour et de ses serments les plus sacrés, c'était chose impossible : elle ne pouvait s'y résoudre.

La résolution qu'elle prit de refuser les visites de M. Burrage la porta à penser de nouveau à son ancien ami Rogers; elle se plongea chaque jour dans de longues heures de méditations. Ses vacances se terminaient bientôt.

Devait-elle signifier le congé à M. Burrage?

Devait-elle décliner l'honneur de recevoir ses visites? Devait-elle retourner à son emploi à Montréal où elle aurait constamment le chagrin d'avoir, sous les yeux, cette autre jeune fille qui lui avait ravi tout son bonheur, toutes ses espérances, son Rogers!

Devait-elle consentir, à l'invitation de ses parents, à demeurer à Guigues et à jouir de la tranquillité, du calme et du repos?

Ninie était tout occupée à résoudre cette question de sa nouvelle orientation lorsque, ne pouvant plus contenir tout le chagrin qui l'accablait, elle tomba, privée de connaissance, la figure baignée de larmes, affaissée sur elle-même, au pied du gros pin ombrageant le jardin de sa mère et où elle avait pris l'habitude d'aller rêver, écrire ou faire ses lectures; elle tenait à la main un crayon et un morceau de papier sur lequel trois mots étaient écrits seulement : c'était le commencement de sa lettre :

" Mon cher Rogers,

Sa mère, attirée par le cri qu'elle poussa sous la douleur qu'elle ressentit au cœur, la trouva dans un grand état de faiblesse et parvint à la ramener à sa chambre; et là, Ninie poussa une triste plainte avec Victor Hugo :

Les champs n'étaient point noirs, les cieux n'étaient point mornes;
Non, le jour rayonnait dans un azur sans borne.
Sur la terre, étendu,
L'air était plein d'encens et les prés de verdure
Quand il revit ces lieux où par tant de blessures
Son cœur s'est répandu.

L'automne souriait; les coteaux vers la plaine
Penchaient leurs bois charmants qui jaunissaient à peine;
Le ciel était doré;
Et les oiseaux, tournés vers celui que tout nomme,
Disant peut-être à Dieu quelque chose de l'homme,
Chantaient leur chant sacré.

Il voulut tout revoir, l'étang près de la source,
La masure où l'automne avait vidé leur bourse.
Le vieux frêne plié,

AMOUR VAINQUEUR

Les retraites d'amour, au fond des bois perdues,
L'arbre où dans les baisers, leurs âmes confondues,
Avaient tout oublié.

Il chercha le jardin, la maison isolée,
La grille d'où l'œil plonge en une oblique allée,
Les vergers en talus.
Pâle, il marchait. – Au bruit de son pas grave et sombre,
II voyait à chaque arbre, hélas! se dresser l'ombre,
Des jours qui ne sont plus.

Il entendait frémir dans la forêt qu'il aime
Ce doux vent qui, faisant tout vibrer en nous-mêmes,
Y réveille l'amour,
Et, remuant le chêne ou balançant la rose,
Semble l'âme de tout qui va sur chaque chose
Se poser tour à tour.

Les feuilles qui gisaient dans le bois solitaire,
S'efforçant sous ses pas de s'élever de terre,
Couraient dans le jardin;
Ainsi, parfois, quand l'âme est triste, nos pensées
S'envolent un moment sur leurs ailes blessées,
Puis retombent soudain.

Il contempla longtemps, les formes magnifiques
Que la nature prend dans les champs pacifiques;
Il rêva jusqu'au soir;
Tout le jour, il erra le long de la ravine,
Admirant tour à tour, le ciel, face divine,
Le lac, divin miroir.

Hélas! se rappelant ses douces aventures,
Regardant, sans entrer, par-dessus les clôtures,
Ainsi qu'un paria,
Il erra tout le jour. Vers l'heure où la nuit tombe,
Il se sentit le cœur triste comme une tombe,
Alors il s'écria :

"Ô douleur! j'ai voulu, moi dont l'âme est troublée,
Savoir si l'urne encor conservait la liqueur,

Et voir ce qu'avait fait, cette heureuse vallée,
De tout ce que j'avais laissé là, de mon cœur!

Que peu de temps suffit pour changer toutes choses!
Nature au front serein, comme vous oubliez!
Et comme vous brisez dans vos métamorphoses,
Les fils mystérieux où nos cœurs sont liés!

Nos chambres de feuillage en halliers sont changées;
L'arbre où fut notre chiffre, est mort ou renversé;
Nos roses dans l'enclos, ont été ravagées
Par les petits enfants qui sautent le fossé.
. . . .
. . . .

Mais toi, rien ne t'efface, amour! toi qui nous charmes!
Toi qui, torche ou flambeau, luis dans notre brouillard!
Tu nous tiens par la joie, et surtout par les larmes;
Jeune homme, on te maudit, on t'adore, vieillard."

CHAPITRE VIII

TITRE [I]

SURPRISE

C'était un beau jour du mois de septembre. Le givre, qui commençait à recouvrir les arbres le matin, était tout disparu; le soleil était radieux; les forêts étaient encore belles et verdoyantes; la ville de Haileybury revêtait un aspect coquet. Tous les citoyens avaient nettoyé les rues et pavoisé d'oriflammes et de drapeaux tous les principaux édifices et leurs résidences privées; il y avait affluence de visiteurs dans la localité : on célébrait l'arrivée de Mgr Latulippe, après une absence de plusieurs mois en Europe.

Un magnifique banquet lui fut préparé auquel étaient invités tous les principaux personnages du clergé, amis de l'évêque, et notables de la localité.

M. Burrage avait invité, à cette occasion, Delle Ninie, à l'accompagner à ce dîner auquel il était de son devoir de prendre part; elle accepta avec reconnaissance l'honneur qu'il lui faisait.

Beaucoup de membres du clergé avaient répondu à l'invitation. La salle était comble; Messieurs les députés du Comté, M. le Maire McAuley, M. Le Shérif McMillan, les MM. Timmins, Foster, Gillies étaient aussi présents à cette fête; de jolies demoiselles et des dames distinguées servaient les convives.

À l'adresse de bienvenue qui lui fut présentée, Mgr Latulippe, dont la santé paraissait encore chancelante quoique meilleure, répondit en remerciant ses ouailles de lui avoir préparé une aussi belle fête, lui prouvant par là tout leur esprit de soumission et d'attachement. Il témoigna, en termes non équivoques, toute sa vive reconnaissance aux membres du clergé de lui avoir donné, par leur présence, la preuve la plus sincère de l'estime qu'ils lui portaient.

Puis, il élabora un discours de haute envolée qu'il divisa en trois points : l'avenir de Haileybury et le développement des cantons du Témiscamingue; l'orgueil d'avoir maintenant un temple, une église digne de la richesse des citoyens de cette ville; la grande gloire de Celui qui conduit tous les événements de la vie du monde, Dieu!

Dans un discours très éloquent, il réussit à être compris; ce saint homme, qui a travaillé avec un dévouement inlassable pour le bien des âmes dont il avait la direction, avait à cœur aussi, l'intérêt des pauvres et l'instruction de la jeunesse.

Des sommes très considérables, en effet, lui furent remises, en pur don, de la part de plusieurs familles, surtout des Messieurs Timmins, Foster et Gillies pour être employées en bonnes oeuvres. Des orateurs éminents portèrent aussi des toasts à ce banquet; quelques membres du clergé y répondirent. M. le Maire, se faisant l'interprète du corps du conseil, tant en son nom qu'au nom de ses collègues, ajouta aux nombreux souhaits de bonne santé et de bonheur que les orateurs précédents avaient formulés à l'adresse de leur évêque, de belles paroles dépeignant le caractère noble du citoyen, le cœur dévoué du prêtre, les hautes connaissances et la piété d'un évêque, qualités toutes réunies chez Mgr Latulippe.

La jeune fille prêtait une oreille attentive à tous les discours des orateurs. M. Burrage était d'une galanterie remarquable. Elle ne pouvait, cependant, s'empêcher de laisser son âme s'envoler auprès de son Rogers dont le souvenir lui revint à l'esprit quand un des brillants orateurs, remerciant les demoiselles et les dames de l'assistance, surtout les organisatrices de la fête, leur parla patriotisme, disant qu'elles ne pouvaient être vraiment patriotiques qu'en aimant leur foyer, leur famille, leur pays natal et que la base de toutes ces amours était l'Amour du cœur, l'amour noble et pur qui conduit à l'union des cœurs vers un but idéal, mais pratique, vers un avenir commun.

CHAPITRE VIII

C'est à ce moment que Delle Ninie reçut un télégramme. Quelques personnes constatèrent l'émotion qu'elle ressentit lors de la remise qu'on lui en fit.

M. Burrage n'attendit pas qu'elle demandât la permission d'ouvrir ce message et lui dit :

– Vous pouvez lire, mademoiselle, et si vous désirez vous retirer, je me ferai un plaisir de vous être agréable.

D'une main nerveuse et tremblante, Ninie ouvrit et lut secrètement :

– Votre ami Rogers, où est-il? Goûtez-vous encore ses baisers?

Ce message était signé d'un nom inconnu! M. Burrage vit tout le trouble de l'âme de Ninie et, redoutant qu'elle s'affaissât sous le coup de la surprise :

– Sortons, lui dit-il; votre embarras me cause un malaise et je vois que l'assistance semble inquiète à votre sort; allons, courage, le grand air vous fera du bien.

Ninie regagna la demeure de ses parents. Tout le long du trajet, à toutes les questions qu'il lui fit, elle ne répondit simplement que ces mots :

– Oh! laissez-moi, voulez-vous? Laissez-moi pleurer, je me sens faible!

Sa mère accourut au devant d'elle, toute joyeuse, comme d'habitude, mais changea vite son empressement gai, quand elle vit M. Burrage l'aidant à marcher et qu'elle constata avec surprise les joues pâles de sa fille, grelottante et tremblante sous un frisson terrible!

– Mais qu'as-tu, ma chère enfant? Es-tu malade?

Elle l'aida à se dévêtir et la conduisit à sa chambre. Ninie ne pouvait répondre autrement que par des soupirs et un regard des plus tristes.

M. Burrage expliqua ce qui était arrivé et se retira, silencieux et grave.

Seule avec sa mère à qui elle ne cachait rien, Ninie lui révéla la cause de son chagrin.

– Oh! mon enfant, ce n'est peut-être que l'œuvre d'une rivale? Il n'y a rien qui puisse t'alarmer! D'ailleurs, n'as-tu pas décidé de le quitter, cet ami Rogers? Serait-il marié que tu devrais t'estimer heureuse de ne pas l'avoir pour époux, car bien qu'il paraisse bon, sympathique, je ne l'aime plus, car il t'a délaissée dans un moment où tu avais raison de compter sur lui. Il t'a délaissée d'une manière qui prouve qu'il est égoïste. Il a peut-être changé avec les années! Viens, courage, mon enfant, viens prendre une tasse de café, cela te fera du bien!

Ninie comprit que sa mère n'interprétait pas le télégramme de la même manière qu'elle le faisait. Son esprit repassait toutes les scènes dont elle avait été témoin depuis deux années. “En effet, se disait-elle, il se peut que ce soit un méchant qui, pour me taquiner, m'envoie ce message avec l'intention de savoir si je l'aime encore! Serait-ce là l'œuvre d'une des parentes de M. Burrage qui aurait pris ce moyen pour s'assurer si j'aime encore Rogers? Serait-ce là l'œuvre d'une jeune fille courtisée par Rogers et qui, certaine d'elle, se moquerait de moi aussi ouvertement? Serait-ce là l'œuvre de cette jalouse Anita Baker qui, de passage à Montréal, aurait appris le mariage de Rogers et voudrait ainsi me faire de la peine? Ne serait-ce pas plutôt l'œuvre de Harry et de ses complices qui auraient entrepris de mener à bonne fin l'exécution du complot qu'ils ont tramé depuis longtemps contre mon bon ami?”

Cette idée était bien celle qu'elle eut en ouvrant le message, mais les paroles échangées avec sa mère l'avaient mise dans le doute et alors, elle repassait dans sa tête toutes les causes qui avaient pu motiver ce télégramme. Après avoir pesé le pour et le contre de toutes ces questions, elle en vint à la conclusion que sa première idée était la meilleure. Que de méditations! Que de réflexions! Durant toute la nuit, elle n'eut d'autres préoccupations que de penser à ce qu'elle devait faire. "Retourner à Montréal? Si c'était l'œuvre de M. Burrage, c'était s'exposer au ridicule; si c'était l'œuvre d'une rivale, c'était donner dans le piège tendu. Mais, se disait-elle, si c'était d'un méchant qui aurait comploté contre Rogers et qu'il eut besoin de moi! Comme je me repentirais de ne pas aller à Montréal!"

À peine le jour était-il apparu le lendemain que Ninie, fière de la conclusion de toutes ses pensées, décida de retourner à Montréal pour se rendre compte de la nature de ce télégramme.

Ses parents étaient anxieux de son bonheur.

Ils ne portèrent pas obstacle à la décision qu'elle avait prise. Elle retourna à Montréal.

Les adieux qu'elle fit à sa famille furent affectueux mais très significatifs.

En arrivant à Montréal, elle prit ses appartements au Queen's Hotel où elle se remit des fatigues de ce long voyage.

Elle se mit en communication avec ses amies, ses relations d'affaires, avec son ancien patron. Elle apprit, malheureusement, que son Rogers était en prison, à Bordeaux, depuis sept semaines!

Son âme, en proie à la douleur, cherchait des moyens d'être utile à son ami.

"Comment se fait-il, se disait-elle à elle-même, que mon ami Rogers ait été condamné par les tribunaux? Il faut donc croire que Harry a continué promptement ses procédures contre lui."

Pourtant, Rogers, lui qui n'avait jamais eu que deux foyers dans sa vie, lui qui était fier, noble, honnête, était en prison!

Indicible, la douleur que ressentit Ninie.

Il n'avait aimé que son pays natal, son Alma Mater et sa fiancée. Et pourtant, il était à Bordeaux.

Ninie comprit que Harry avait continué l'œuvre de sa vengeance contre Rogers.

Tous les amis et les hommes d'affaires qu'elle rencontrait lui montraient les lettres et cartes postales qu'ils avaient reçues leur annonçant l'arrestation de Rogers et les invitant à assister à sa condamnation.

Plus elle lisait, plus elle se rendait compte qu'un complot avait été tramé contre cet honnête jeune homme!

"La vie, se disait-elle à elle-même, consiste-t-elle en un concours de ceux qui peuvent le plus amasser, acquérir d'argent? Si c'était réellement là le but de la vie, avec ceux-là pourtant, Rogers pourrait rivaliser! La vie consiste-t-elle en un concours de ceux qui cherchent à se montrer aimables et affectueux? Pourtant, Rogers pourrait démontrer au public qu'il est digne d'amour, d'affection. La vie consiste-t-elle en un concours de ceux qui se croient capables de faire valoir et leur importance personnelle et l'appui de leurs amis? Pourtant, Rogers, il me semble, remporterait la palme des concurrents. La vie consiste-t-elle en un concours de ceux qui, se croyant assez puissants avec leur argent de pouvoir dire : 'Je domine, je subjugue, je réduis à néant tous mes ennemis?' Pourtant, répétait-elle en elle-même, Rogers pourrait se défendre! La vie consiste-t-elle en un concours de ceux qui, se croyant invincibles et intelligents, ont la prétention de ne jamais avoir à lutter, à combattre contre ceux-là mêmes qu'ils abaissent et humilient? Pourtant, Rogers figurerait bien en ce concours. Mais, réfléchissait-elle, Rogers ne voit pas, dans la vie, ces concours d'êtres plus ou moins intelligents n'ayant d'autre but que de faire valoir leurs talents et leur personnalité; mais Rogers sobre, intelligent, occupé que de ses affaires, ne voit dans la vie que la loyauté et l'honnêteté. Si ses ennemis ont trouvé le secret de le faire tomber dans un piège et de le classer sous le rang des criminels, je le défendrai au péril de ma vie tout comme il m'a défendu des basses attaques de Harry."

CHAPITRE IX

TITRE I

BORDEAUX

Le verdict de culpabilité avait été rendu par la Cour contre Rogers. Tous les assistants, à l'exception de la "*clique*" fomentant la haine et la vengeance contre lui, laissaient échapper un soupir de sympathie. On ne pouvait croire à sa mauvaise foi! Il était accusé d'avoir trompé son contractant.

Il fut conduit, tout comme les autres prisonniers, les menottes aux mains, de la cellule commune au char de la prison jusqu'à Ahuntsic et de là, embarqué comme les vils criminels dans une voiture traînée par deux chevaux dans laquelle étaient entassés comme des sardines dans les ténèbres : voyous, cambrioleurs, ivrognes et voleurs de grand chemin.

Rogers subit tous ces tourments sans se plaindre!

Arrivé à Bordeaux, il fut fouillé. On lui enleva tous ses articles : couteau de poche, crayons, etc.; on lui remit, dans un bol de fer-blanc, un petit pain sec.

L'ex-champion, M. Horace Barré, le rival de Louis Cyr, conduisait la voiture. De sa figure douce et sympathique jaillirent des sourires qui portèrent de l'encouragement dans le cœur de Rogers qui le connaissait bien.

On le conduisit (il était alors sept heures environ du soir) dans sa cellule : appartement au plancher en ciment, à la fenêtre grillée et sous clef, aux vitres peintes; un lit de fer sur lequel était une paillasse remplie de paille avec un oreiller sali et une couverte servant pour la moitié de drap et, pour l'autre moitié de couverture; un cabinet de toilette et de l'eau coulant à volonté. À droite, à l'opposé du lit, une petite table fixée au mur sur laquelle rien, aucun objet ne se trouvait pour apporter de la distraction au prisonnier. Il faisait froid! très froid! Une lourde porte mue automatiquement se referma sur ce prisonnier!

Rogers resta étendu sur son grabat, pensif : “Me voilà en prison! C’est cela, la prison de Bordeaux!” Du matin au soir, du soir au matin, le régime veut que les prisonniers n’ayant pas encore reçu leur sentence attendent dans ce calme, dans cette solitude, dans le silence, le sort qui leur est réservé. “Que faire?” se demandait Rogers. Même, il n’est pas permis de travailler. Seule, la pensée dont on ne peut arrêter les mouvements vole et parcourt les plaines et les villes, visite les parents et les amis.

“Mais, en ai-je, se demanda, Rogers, des parents, des amis? Pourtant, il me semble que j’ai été bon pour certains compagnons. Viendront-ils m’apporter du tabac, des cigares? Viendront-ils m’apporter de quoi me nourrir?” Car les prisonniers non sentencés ont droit de recevoir la nourriture que leurs parents ou amis leur apportent. “Qui viendra me voir? Qui m’apportera une parole de consolation?”

Si l’on reproche à Sir Lomer Gouin d’avoir fait de la prison de Bordeaux un palais luxueux, c’est à tort. En effet, la prison de Bordeaux a des corridors en marbre! Mais le régime est un des vestiges de la barbarie du Moyen Âge. “Le régime de la prison n’est pas un régime qui punit mais un régime qui tue!” se disait Rogers.

Il n’est pas surprenant d’apprendre que l’homme intelligent qu’on enferme à Bordeaux en sort pour être conduit à l’asile ou dans son tombeau!

Quel débarras pour la société, se dit-on parfois! S’il fallait que la justice s’applique à débarrasser la société, s’il fallait retrancher du rang de la société tous ceux qui sont censés lui nuire ou qui n’accomplissent pas leurs devoirs, peut-être la prison de Bordeaux se verrait trop restreinte pour recevoir tous ses pensionnaires! Et encore, la verrions-nous peut-être sans Gouverneur!

CHAPITRE IX

Rogers passa de longues heures à souffrir du froid, de la faim, de la solitude. C'est la nuit tout le temps! Inutile de se livrer à des actes de désespoir! Seule, la raison doit commander en ces heures de dures épreuves. Ouvrir l'œil sur la manière dont les choses se passent et se servir de son influence auprès des autorités pour faire casser l'esprit de routine qui n'est autre qu'un régime de barbarie.

Le personnel de la prison de Bordeaux est de première classe. M. David, assistant gouverneur, est un homme très distingué, de hautes connaissances le désignant comme un homme supérieur. Le sergent-major, par son affabilité et sa piété reconnue, le font estimer même des sujets les plus récalcitrants : il commande par la douceur, il a le secret de se faire obéir et respecter. Le sergent Beauchamp, à l'œil noir, à la figure un peu picotée, est très intelligent et sait discerner les motifs qui font agir les prisonniers; courtois, gentil avec ceux qui savent le respecter, il est aussi dur et sait se servir de mesures énergiques à l'égard de ceux qui croient pouvoir résister à l'autorité. Mais le régime, encore une fois, est des plus routiniers, des plus contraires à l'hygiène; les prisonniers attendant leurs procès n'ont pas d'exercices. La société a-t-elle le droit de soumettre à un régime qui est regardé comme l'un des vestiges de la barbarie du Moyen Âge, un homme qui est accusé mais qui n'est pas condamné pour actes criminels? "J'espère que l'Hon. Premier Ministre de la Province de Québec, dont on dit tant de bien, étudiera cette question ainsi que celle de la classification des prisonniers", ruminait Rogers.

Il se vit seul, délaissé! Son âme plana au-dessus de toutes les spéculations honteuses du monde. Ceux mêmes qui avaient le devoir de venir lui apporter douceurs et consolations rougirent de se rendre jusqu'à la prison et le nombre de ceux qui s'y rendirent fut très restreint. La tête occupée à faire administrer ses biens du mieux qu'il put, Rogers pleura sur l'ambition et l'égoïsme des hommes, des parents, des amis!

Un matin, vers les dix heures, on vint prévenir Rogers qu'il était demandé au parloir! Le cœur transi, l'âme inquiète, Rogers se demandait : "Qui me demande bien au parloir? Ah!

Peut-être mon père ou ma mère?" Résolu de ne leur laisser croire à du malaise, il fit un effort pour apparaître souriant et joyeux! Quelle ne fut pas sa surprise quand il apparut et vit, derrière la grille, une jeune fille qui se présenta à lui :

– Comment, te portes-tu, Ninie, lui dit-il?

– Très bien, répondit-elle, contente de le voir ferme et résolu à combattre!

Quelques minutes s'écoulèrent et les deux amoureux, plutôt occupés à se maîtriser qu'à se communiquer leurs pensées et leurs sentiments, restèrent silencieux.

Après de longs et significatifs regards, ils s'échangèrent quelques paroles pour témoigner l'ennui de leur séparation. Rogers ressentait tout ce que l'âme de Ninie voulait lui dire. Elle ne pouvait pas rester insensible à tout ce que cette figure pâlie et ferme lui causait d'impressions.

Les deux âmes s'étaient comprises. Elle dissimula cependant facilement toute l'émotion qu'elle ressentait en lui promettant de venir le voir deux fois par semaine.

Rogers ne put comprimer tous les sentiments de joie qu'il éprouva à la vue de cette jeune fille qui, comme la colombe apportant à Noé la branche d'olivier, lui apportait, avec la permission du garde, la lettre de son avocat qui lui disait que l'appel était accordé.

Ninie sortit son mouchoir, le posa sur ses yeux et, retournant ses regards vers Rogers :

– Au revoir, lui dit-elle à voix basse, à bientôt!

Et, lui désignant du doigt un paquet qu'elle laissait sous la direction du garde, elle lui dit en se retirant :

– C'est pour toi.

Les corridors retentirent de l'écho des pas des amoureux qui se séparaient en silence et Rogers, sous la conduite du garde M. Caouette, un honnête et bon garçon, sympathique et généreux, se dirigea vers sa cellule.

CHAPITRE IX

Quelques jours après, le jeudi après-midi (Rogers n'avait pas encore vu quel temps il faisait), on l'appela de nouveau au parloir. Ninie l'attendait, toute vêtue de noir. Elle fixa ses grands yeux sur la figure de Rogers pour s'assurer s'il avait eu de la peine. Elle constata avec joie qu'il était de bonne humeur.

– Puis-je faire quelque chose pour toi, mon ami? Je comprends que tu n'as pas reçu de visites souvent; car il en arrive ainsi dans la vie : ceux que tu as nourris du fruit de ton travail sont et seront peut-être les premiers à te calomnier alors même qu'ils sont en tort. Mais puis-je faire quelque chose pour toi?

– Oui, ma chère amie; il me répugne de te demander ce sacrifice mais, vois-tu, ici, en la prison de Bordeaux, nous n'avons pas la permission de téléphoner, pas même à nos avocats.

– Quel est donc ce sacrifice?

– Ma chère Ninie, je crains que ma mère ne souffre énormément de me voir en prison! Elle peut croire que je suis un criminel! Veux-tu te rendre auprès d'elle, lui expliquer l'affaire, la rassurer que je triompherai!

– Oui, répliqua Ninie, j'irai la voir et elle sera heureuse d'avoir, de ma bouche même, des explications sincères!

Les portes se refermèrent! Des sanglots éclataient des deux côtés!

Ninie revint, au jour qu'elle lui avait promis; elle revit Rogers toujours ferme, mais anxieux d'avoir des nouvelles.

Elle put converser avec lui pendant dix minutes environ. Profitant du bonheur qu'elle avait de lui remettre une petite boîte de divers articles qu'elle croyait lui être utiles, elle lui signifia d'un regard que quelque chose pouvait l'intéresser.

Arrivé dans sa cellule, il ouvrit, en présence du garde, ce qui lui était destiné. Il découvrit, après le départ de celui-ci, une petite lettre ainsi conçue :

"Mon cher ami,

J'étais triste de n'avoir pu te glisser ma lettre, mardi dernier; d'un autre côté, je m'en réjouis, car je suis en train, ce soir, de te la rendre plus intéressante, tout en méditant un moyen ingénu de te la faire parvenir, cette fois-ci.

Si je réussis, tant mieux! Si l'on découvre ma ruse, tant mieux! répéterai-je encore! Et alors, on me détiendra là, à tes côtés, près de toi, j'espère! Au moins, je ne souffrirai pas tant de ton absence! Pouvoir partager ta captivité, même tout endurer pour toi serait ma plus grande joie! Je souffre énormément de te voir captif. Veuille croire combien j'ai été malheureuse et combien j'ai souffert de ne pas avoir reçu de tes nouvelles depuis mon départ. Pardonne-moi, même si j'ai cru à de l'indifférence et à de l'oubli de ta part.

Quelles tristes vacances j'ai passées! Mon cœur a soupiré après tes lettres que je n'ai pas reçues! Je n'ai pu soupçonner un tel malheur. J'ai cru à un éloignement volontaire. Pauvre Rogers! Prends courage! Sois ferme! La lutte est des plus terribles. Dans le public, s'il se trouve des gens qui parlent contre toi, il en est aussi qui te défendent. Au nombre de ceux qui travaillent pour te faire recouvrer ta liberté, veuille compter ta petite Ninie qui ne sera heureuse que lorsqu'elle te saura libre et constatera que ton innocence sera reconnue! Ne te fatigue pas. Je vais voir à tout. Je prends tes intérêts. Il n'est pas de sacrifices que je ne me sens disposée à faire pour toi.

Mon bon Rogers! Si j'avais pu douter davantage de la complicité du complot de Harry contre toi, je serais accourue plus tôt. Mais je ne recevais pas de nouvelles.

Quelles tristes vacances! Combien j'ai souffert de ton absence! Combien j'ai désiré recevoir de tes nouvelles! Je te sais énergique. J'ose croire que ta captivité ne te portera pas au découragement. Compte sur les prières et les démarches de celle qui ne t'oublie pas. Je suis anxieuse de te raconter, de vive voix, ce qui s'est passé et de te prouver combien je te suis attachée.

CHAPITRE IX

Je viendrai te voir deux fois par semaine. J'ai vu ton avocat; il a été pris par surprise; il ne croyait pas, d'abord, à une affaire montée. Il ira en appel. Je l'ai mis au courant du complot tramé contre toi. J'ai tout lieu d'espérer que la Cour d'appel te rendra à la liberté. Que les jours sont longs! Ton ennemi ne cesse de te calomnier, mais sois tranquille! Supporte seulement ta captivité et tout ira bien, j'espère!

J'ai vu ta mère. Je suis allée la voir. Je lui ai expliqué la nature de la cause qui a amené devant les tribunaux, dont le jugement est répudié par le public, un honnête et bon garçon.

Tout le monde sait que Harry ne faisait que te tendre un piège quand il cherchait et réussissait à se mettre en affaires avec toi.

Cette condamnation ne t'abaisse pas dans l'estime du public, qui te connaît. À mes yeux, tu n'en sortiras que plus grand, que plus noble. Supporte courageusement cette épreuve, et nous verrons des jours meilleurs.

Veuille compter, bon ami Rogers, sur toute l'étendue des sacrifices que je suis disposée à faire pour toi, et me croire toujours

Ta fidèle et sincère Ninie"

La jeune fille quitta la prison les yeux remplis de larmes, tout en méditant sur la destinée de certains hommes; ceux-là sont souvent incompris et passent pour de malhonnêtes gens, tandis que ceux-ci, grands criminels, ayant mérité maintes fois d'être punis, jouissent de la plus grande liberté!

À peine était-elle de retour à ses appartements, qu'elle recevait des messages téléphoniques lui annonçant tantôt qu'elle se déshonorait à porter secours à Rogers, tantôt que celui-ci se moquait d'elle, tantôt qu'elle aurait son sort si elle continuait à le visiter.

Rogers réussit à faire remettre à Ninie, en l'enveloppant dans certains petits articles qu'il lui retourna comme ne lui étant pas utiles, lors de sa nouvelle visite, une lettre en réponse à celle qu'elle lui avait adressée :

"Ma chère Ninie,

Je ne sais quelles expressions je dois employer pour te prouver ma reconnaissance. Tes visites me font du bien. Je comprends toute l'étendue des sacrifices que tu t'imposes, mais si je ne puis pas, moi-même, te les payer, j'ose croire que Dieu, à qui j'adresse de ferventes prières pour toi, te bénira et te fera trouver le fruit de tes sacrifices. Continue à venir me voir! Ici, c'est le désert, c'est la solitude! Le seul bruit que tu entends, c'est ou le tintement, à tes oreilles, de la pulsation de ton sang ou le bruit d'enfer que les ouvriers font à réparer les portes des cellules de la prison. La prison est belle, belle pour les visiteurs! Les planchers sont en marbre! Mais le régime de la prison est un régime qui tue! Nous n'avons qu'une petite messe, le dimanche matin, et ceux qui veulent y aller doivent se hâter, à leur réveil, de se tenir prêts, car les portes des cellules s'ouvrent et se referment aussitôt; à peine le cri du prisonnier avertisseur s'est-il fait entendre : "Catholic church! Catholic Church!", que les portes s'ouvrent et se referment! Quelle heure est-il? On ne le sait pas. Pleut-il? On ne le sait pas. Les prisonniers qui, comme moi, attendent leur procès, sont dans la plus grande solitude et souvent, ils sont là des mois et des mois. Je me demande, parfois, si les juges comprennent leurs devoirs! Ont-ils reçu la mission de tuer ou d'appliquer la loi ou de se faire les instruments des vengeurs? Les consolations que tu m'apportes sont au delà de tout ce que je pourrais te dire! Être renfermé du matin au soir, du soir au matin, dans un espace étroit où tantôt il fait trop chaud, tantôt il fait trop froid, et où il faut tout endurer, tout souffrir! La nourriture est celle que ne donne pas, en général, un citoyen, à son propre chien.

Ma chère amie, je te demande de ne pas me laisser. Reviens! Mon courage se renouvelle à ta vue. J'ai reçu tes fleurs. Tu as été bien gentille, bien bonne de penser à exécuter une promesse que tu m'avais faite quand, conversant avec toi, un an auparavant, je te déclarais, alors que le chauffeur de notre automobile s'était trompé de chemin et que nous avions rebroussé chemin, à la prison de Bordeaux, je te disais : "S'il fallait que jamais je vienne ici!", tu me répondais : "J'irais te jeter des fleurs par la fenêtre." Elles sont belles; leur parfum remplit l'air de ma froide cellule! Comme je suis heureux de constater qu'au moins une âme, une petite étrangère, pense à moi, toi, ma chère amie.

Veuille excuser le papier, car ici, à Bordeaux, nous n'en avons pas le choix. J'ai écrit sur le papier dont tu t'es servi pour envelopper mes effets.

Merci, Ninie, pour ton estime, merci pour ton trouble, merci pour tes paroles de consolation et d'espérance.

J'inclus, ici même, une poésie d'Alfred de Musset, le Mie Prigioni, qui te donnera une idée de la prison. Mais je t'assure que ce n'est qu'une faible image de la réalité!

On dit : "Triste, comme la porte
D'une prison."
Et je crois, le diable m'emporte!
Qu'on a raison.

D'abord, pour ce qui me regarde,
Mon sentiment
Est qu'il vaut mieux monter sa garde,
Décidément.

Je suis, depuis une semaine,
Dans un cachot,
Et je m'aperçois avec peine
Qu'il fait très chaud.

Je vais bouder à la fenêtre,
Tout en fumant;
Le soleil commence à paraître
Tout doucement.

C'est une belle perspective,
De grand matin

Que des gens qui font la lessive
Dans le lointain.

Pour se distraire, si l'on bâille,
On aperçoit
D'abord une longue muraille,
Puis un long toit.

Ceux à qui ce séjour tranquille
Est inconnu
Ignorent l'effet d'une tuile
Sur un mur nu.

Je n'aurais jamais cru moi-même,
Sans l'avoir vu,
Ce que ce spectacle suprême
A d'imprévu.

Pourtant les rayons de l'automne
Jettent encor
Sur ce toit plat et monotone
Un réseau d'or.

Et ces cachots n'ont rien de triste,
Il s'en faut bien;
Peintre ou poète, chaque artiste
Y met du sien.

De dessins, de caricatures
Ils sont couverts.
Ça et là quelques écritures
Semblent des vers.

Chacun tire une rêverie
De son bonnet;
Celui-ci, la Vierge Marie,
L'autre un sonnet.

Là c'est Madeleine en peinture,
Pieds nus, qui lit;
Vénus rit sous la couverture
Au pied du lit.

CHAPITRE IX

Plus loin, c'est la Foi, l'Espérance,
La Charité,
Grands croquis faits à toute outrance,
Non sans beauté.

Une Andalouse assez gaillarde,
Au cou mignon,
Est dans un coin qui vous regarde
D'un air grognon.

Celui qui fit, je le présume,
Ce médaillon,
Avait un gentil brin de plume
À son crayon.

Le Christ regarde Louis-Philippe
D'un air surpris;
Un bonhomme fume sa pipe
Sur le lambris.

Ensuite vient au passage
Très compliqué,
Où l'on voit qu'un monsieur très sage
S'est appliqué.

Dirais-je quelles odalisques
Les peintres font,
À leurs très grands périls et risques,
Jusqu'au plafond?

Toutes ces lettres effacées
Parlent pourtant;
Elles ont vécu, ces pensées,
Fût-ce un instant.

Que de gens, captifs pour une heure,
Tristes ou non,
Ont à cette pauvre demeure
Laissé leur nom!

Sur ce lit où je rimaille
Ces vers perdus,

AMOUR VAINQUEUR

Sur ce traversin où je bâille
À bras tendus.

Combien d'autres ont mis leur tête,
Combien ont mis
Un pauvre corps, un cœur honnête
Et sans amis!

Qu'est-ce donc? En rêvant à vide
Contre un barreau,
Je sens quelque chose d'humide
Sur le carreau.

Que veut donc dire cette larme
Qui tombe ainsi,
Et coule de mes yeux, sans charme
Et sans souci?

Est-ce que j'aime ma maîtresse?
Non, par ma foi!
Son veuvage ne l'intéresse
Pas plus que moi.

Est-ce que je vais faire un drame?
Par tous les dieux!
Chanson pour chanson, une femme
Vaut encore mieux.

Sentirais-je quelque ingénue
Velléité
D'aimer cette belle inconnue :
La liberté?

On dit, lorsque ce grand fantôme
Est verrouillé,
Qu'il a l'air triste comme un tome
Dépareillé.

Est-ce que j'aurais quelque dette?
Mais, Dieu merci!
Je suis en lieu sûr : on n'arrête
Personne ici.

CHAPITRE IX

Cependant, cette larme coule,
Et je la vois
Qui brille en tremblant et qui roule,
Entre mes doigts.

Elle a raison, elle veut dire :
Pauvre petit,
À ton insu, ton cœur respire
Et l'avertit.

Que le peu de sang qui l'anime
Est ton seul bien,
Que tout le reste est pour la rime
Et ne dit rien.

Mais nul être n'est solitaire,
Même en pensant,
Et Dieu n'a pas fait pour te plaire,
Ce peu de sang.

Lorsque tu railles ta misère
D'un air moqueur,
Tes amis ta sœur et ta mère
Sont dans ton cœur.

Cette pâle et faible étincelle
Qui vit en toi,
Elle marche, elle est immortelle
Et suit sa loi.

Pour la transmettre, il faut soi-même
La recevoir,
Et l'on songe à tout ce qu'on aime
Sans le savoir.

CHAPITRE X

TITRE I

MALHEURS DE HARRY

Anita et Harry avaient uni leurs destinées; l'une, avec la cupidité dans le cœur, l'autre, avec une satisfaction de jalousie et de vengeance satisfaites.

Leur mariage, quoique célébré sans éclat, avait été cependant d'un "chic" remarquable, au milieu d'un cercle de parents et d'intimes très limité.

La nouvelle épouse y déployait, une fois encore, toute son énergie, pour se montrer aimable, affectueuse pour Mde Mitchell, jolie et attentionnée pour celui entre les mains de qui elle déposait tout son avenir; de son côté, Harry paraissait joyeux.

Cependant, autant de bonheur ne devait pas séjourner longtemps sous ces auspices de l'hypocrisie et de l'insincérité! Ce qui scelle le vrai bonheur, ici-bas, c'est cet amour vrai, idéaliste, qui est la base même de toutes les aspirations nobles! Si parfois, dans une union aussi sacrée, le chagrin, l'adversité nous font verser des larmes, nous éprouvons de la joie à pleurer dans les bras de celui que nous aimons et que nous avons accepté comme le guide de notre avenir.

Anita aimait cependant Harry, non de cet amour, il est vrai, qui fait rêver les jeunes filles, mais bien par satisfaction personnelle de se voir riche et comptée dans les rangs de la plus haute société de New York! Elle se réjouissait en elle-même d'habiter cette résidence princière et d'en avoir fermé la porte à jamais à cette petite Canadienne qui l'avait troublée dans ses espérances et lui avait fait passer bien des nuits dans l'insomnie! Aux échos de son âme restreinte, elle répétait : "Je suis vengée, je suis satisfaite!"

Harry se montra empressé, dans les débuts de la vie matrimoniale, auprès d'Anita; il redoublait ses attentions, faisait quelques voyages; mais rarement, il semblait sourire à l'avenir qui se déroulait, brillant devant leurs illusions.

C'est alors que sa jeune épouse donna naissance à un enfant qu'ils appelèrent Frédérick; ce petit ange était venu jeter un nouveau rayon de joie au foyer. La grand-maman, Mde Mitchell, semblait rajeunir au sourire et aux accents de cette petite voix enfantine; mais par suite des émotions et du trouble qu'elle avait eus en apprenant la conduite déréglée de son fils qui, insensiblement, avait donné dans les vices de l'ivrognerie et des jeux de hasard, elle se sentit vieillir! Son cœur toujours tendre, bon, sympathique, faisait régner la paix dans cette maison qui, bientôt, ne deviendrait que la proie du malheur et du déshonneur! Sa santé diminuait chaque jour; aux fatigues endurées vint s'ajouter une inquiétude mortelle qui la mina secrètement. Harry était la cause de son profond chagrin, par ses désordres. Elle l'avait surpris plusieurs fois, pensif, l'œil hagard et le sourcil froncé, comme méditant l'exécution d'un projet coupable! Elle avait, plus d'une fois, remarqué ses absences prolongées de la maison où Anita, laissée seule, sentait le découragement s'emparer d'elle. Sa douleur augmenta lorsqu'elle constata, à maintes reprises, que son esprit était troublé, non seulement par le genre d'affaires dans lesquelles il s'était lancé, mais aussi, hélas, par sa conduite désordonnée et adonnée à la boisson. Ce n'était plus Harry! Ce n'était plus le chic garçon d'autrefois dont la distinction dans ses manières faisait l'admiration de ses amis et la joie de sa mère.

Elle pleura amèrement sur les désordres de son fils; ses forces diminuèrent à vue d'œil; bientôt, elle se vit couchée sur un lit de douleurs.

Un soir, Harry entra plus abruti encore qu'à l'ordinaire. Attiré vers la chambre de sa mère par des sons de voix étrangères, il accourut directement, silencieux, auprès d'elle. À la vue de ce corps inanimé, Harry, comme un enfant, se jeta à genoux auprès du lit de sa mère et fondit en larmes. Tout le monde s'était retiré à l'écart, le laissant confier à sa mère ses serments de regrets et ses fermes propos de se conduire mieux. Au contact des chauds baisers qu'il déposa sur les mains de l'agonisante, elle ouvrit les yeux et, d'une voix demi-éteinte, elle l'exhorta à suivre une autre ligne de conduite.

– Je redeviendrais bon fils et bon époux, si vous me restiez, ma mère, mais le seul amour que je possédais semble me fuir! Je sens que vous allez partir. Oh! ma mère! Dois-je vous l'avouer? Je suis un criminel à l'égard d'un innocent : Rogers, dont je me suis vengé lâchement en traînant sa réputation dans la fange et en le faisant interner dans une prison pour m'avoir ravi l'amour de ma petite Canadienne, Ninie! J'ai épousé Anita, je ne l'aime plus! C'est elle qui m'a fait glisser, par ses mauvais conseils, sur cette pente où je me trouve maintenant; elle ne m'a jamais appris d'autre chose qu'à susciter en moi des sentiments de haine et de vengeance contre Ninie qui n'accepta pas mes serments d'amour!

C'en était trop pour Mde Mitchell qui, à la déclaration de tous ces malheurs, ne fit que balbutier :

– Oh! Harry, mon fils, rappelle-toi toujours de ta mère!

Elle rendit le dernier soupir!

Ce fut fini du bonheur d'Anita! Cette nature jalouse, orgueilleuse, se sentait vaincue. Elle se savait maintenant détestée, délaissée par Harry. L'amour et la considération qu'elle avait eus pour lui se dissipèrent et elle fut toute stupéfaite quand, un jour, elle ouvrit une lettre qui attira son attention et qui était conçue en ces termes :

"Monsieur H. Mitchell,
New York.

Monsieur,

Je vous accorde jusqu'au douze courant pour venir solder le billet que vous m'avez signé au montant de cinq mille piastres pour prêt de pareille somme que je vous ai fait, au jeu, il y a trois semaines.

W. SMITH

Un cri de douleur s'échappa de sa poitrine : elle voyait son avenir s'effondrer! "Je sais maintenant, se disait-elle, pourquoi Harry déserte le foyer : il joue, il perd, et la ruine est inévitable!" Toute à ses réflexions, elle entendit des pas lourds dans l'escalier. C'était son mari : la chevelure en désordre, les vêtements salis, la démarche nonchalante, tout indiquait qu'il avait bu. Il trouva Anita en pleurs, avec le petit Frédérick qui jouait à ses pieds; elle n'avait pas eu le temps d'essuyer ses larmes. Le petit cherchait à égayer sa mère par ses babillements, sans se rendre compte de la cause de ses chagrins.

Harry, à la vue de ce spectacle, ne put contenir son émotion. Le souvenir de sa mère se réveilla en lui. Il avait quelque peu aimé Anita, la complice de son crime. Maintenant, il était trop tard. Tout bonheur pour lui était désormais impossible; il fallait exécuter.

– Harry, lui dit sa femme, jusqu'à ce moment, j'ai patienté, croyant que si vous ne m'aimiez plus, au moins vous deviez aimer notre enfant et vivre pour lui. Voici une lettre que j'ai reçue ce matin. Je l'ai lue et j'ai constaté que vous vous ruiniez! Pouvez-vous payer cette note à son échéance et me laisser entrevoir une fois encore la lueur de l'espérance? Harry, si aujourd'hui vous me trouvez coupable, ne m'en voulez pas; je vous aimais et j'ai tout fait dans le but de gagner votre amour.

– Il est trop tard, reprit-il, je suis ruiné. Il ne me reste plus que la fuite.

Il jeta un dernier regard dans cet intérieur où il avait goûté tant de joie et de bonheur et sortit!

CHAPITRE XI

TITRE I

Anita s'affaissa dans son fauteuil et pleura amèrement. Cette fois, c'étaient des larmes d'un sincère repentir. "Je suis désolée, se disait-elle, de voir tant de malheurs fondre sur ma tête! Il n'est pas de sacrifices que je ne serais disposée à faire pour expier tout ce passé de vengeance que j'ai voulu exercer sur ma rivale! Que j'aurais donc dû la laisser continuer ses amours avec Harry qui ne m'a épousée que pour céder à la tentation de satisfaire à sa haine contre celle qu'il ne put avoir!"

Elle tomba à genoux, comme pour demander au Seigneur de lui pardonner ses fautes. Elle ne put prier. Trop faible, elle ne se rendit pas compte des heures écoulées en cet état! Le découragement s'était emparé d'elle!

Revenue à elle-même, elle entrouvrit sa fenêtre et vit les promeneurs qui entraient dans leurs demeures pour leur repas. Le soleil finissait sa course. C'était déjà sept heures du soir. Son enfant dormait d'un sommeil paisible et profond. "Que deviendra-t-il ce cher petit? se disait-elle. L'avenir heureux que je lui souhaitais sera-t-il changé en des années de malheurs dont je serais la première à souffrir le plus cruellement?"

Seule, délaissée de son époux, trop fière pour, dès maintenant, déclarer à ses parents toute l'amertume qui l'abreuvait, elle songeait, triste et abattue, à l'avenir.

Quelques jours s'écoulèrent. Anita essaya de dissimuler, auprès de ses amies, toute sa peine et les difficultés qui se présentaient sur sa route.

Harry n'avait pas réapparu à son foyer. Que deviendrait-il? Anxieuse d'avoir de ses nouvelles, elle se tenait constamment tout absorbée à méditer sur les moyens à prendre pour bien administrer.

Les créanciers, qui avaient soupçonné le mauvais état des finances de Harry, devinrent exigeants. Elle paya jusqu'au dernier de ses deniers. Mais les dettes étaient trop considérables!

Anita vendit ses plus beaux meubles, ses bijoux les plus précieux, même sa bague de fiançailles, pour s'éviter la honte des saisies et procurer à son enfant les soins nécessaires à sa condition!

Elle fut obligée de quitter sa riche demeure pour habiter un sombre logis dans une petite ruelle. Les ressources étaient épuisées. La misère l'obligea à écrire à ses parents; ils vinrent lui porter secours. Son chagrin fut doublé quand elle vit sa mère, toute découragée à la vue de la situation douloureuse de cette petite famille dispersée. Harry enfui, le bébé mourant; Anita amaigrie, malade, ruinée! Le père d'Anita disposa largement de son énergie et de ses biens, considérablement restreints par les années de revers qu'il avait traversées, pour apporter à ces êtres tout le confort que leur état requérait; mais la souffrance morale d'Anita ne se guérissait pas. Son être adoré faiblissait et allait vers la tombe sous la maladie d'une pneumonie qu'il avait contractée dans ce logis humide. La mort lui ravit son ange!

Anita, dans ses moments de loisir, se rendait au cimetière et, agenouillée sur le tertre qui recouvrait les restes de son fils, elle pleurait et méditait. Elle, autrefois si fière, si orgueilleuse, si remplie des espérances de l'avenir, se sentait malheureuse à la vue d'un tel état de pauvreté qu'elle ne pouvait avoir la satisfaction de voir une croix ou un petit monument à la mémoire de son cher unique fils, pour désigner l'endroit où il reposait. Pauvre Vie! pauvre Destinée!

Un jour qu'elle se dirigeait, comme d'habitude, pour aller prier au cimetière, elle vit une dame qui s'éloignait après avoir déposé, sur l'endroit où reposait son fils, une couronne de fleurs toutes belles et choisies! Un rayon de joie illumina la figure d'Anita; elle remerciait dans son cœur, cette dame charitable! “Une parente, se disait-elle, a cru devoir agir ainsi.”

CHAPITRE XI

Elle prit une autre route et fit en sorte qu'elle put la rencontrer. Quelle ne fut pas sa surprise de constater que ce n'était pas une dame de sa famille.

C'est ainsi que dans la vie, bien souvent, les plus grands services ne nous viennent pas des parents ni même de ceux qui, par devoir ou reconnaissance, devraient s'empresser à secourir et à ne pas laisser languir dans la douleur et dans la souffrance ceux-là mêmes sur qui ils ont dû eux-mêmes, auparavant, compter!

Anita reconnut, avec une étrange satisfaction, sa rivale d'autrefois, Ninie, qui, touchée de ses malheurs avait cru agir ainsi.

– Merci, madame, lui dit-elle! Comme vous me faites du bien au cœur! Je ne sais trop de quelles expressions me servir pour vous témoigner ma vive reconnaissance et vous demander pardon des chagrins que je vous ai causés!

Elle se jeta aux genoux de Ninie et, lui prenant les mains, elle appuya sa tête sur elle, sanglotante et tout heureuse de voir tant de sympathie et de bonté chez une personne qu'elle avait, dans le passé, si profondément blessée.

– Relevez-vous, madame; je vous reconnais. J'ai été mise au courant de vos douleurs et de votre malheureuse destinée! Je vous pardonne! Ce que vous avez fait, vous le regrettez?

– Oui, madame, je le regrette profondément! J'ai appris votre mariage avec M. Rogers; êtes-vous heureuse? Où demeurez-vous?

Les deux dames s'éloignèrent. Ninie lui apprit qu'elle avait eu ses moments de malheurs, qu'elle avait souffert l'opprobre d'un public soulevé par Harry et par elle-même; que tout était pardonné; qu'elle avait épousé Rogers, qu'elle vivait à New York. Elle lui raconta que son époux avait triomphé de ses propres ennemis par son énergie et par le faible appui qu'elle lui avait donné!

– Nous sommes, lui dit-elle, nous sommes très heureux; nous vivons richement; nous demeurons à New York. Mon époux Rogers a réussi dans toutes ses spéculations depuis bientôt près de trois ans que nous habitons cette ville. Il est très riche, maintenant.

Anita, la voix entrecoupée par les sanglots :

– Oh! madame, vous le méritez bien; je souhaite maintenant que vous soyez toujours heureuse! Je vous assure que la jalousie ne rentrera plus jamais dans mon cœur! Moi, je suis très malheureuse! Après avoir connu les joies et la satisfaction de l'opulence, je suis délaissée, pauvre et humiliée! Harry m'a quittée, je ne l'ai pas revu depuis...

Anita ne put continuer sa phrase. Aussitôt, Ninie lui dit :

– Permettez-moi de vous dire, madame, que nous étions en voyage d'excursion il y a environ un mois, à Porcupine, et que nous y avons rencontré là (mon mari et moi), M. Mitchell.

– Harry? demanda Anita.

– Oui, madame, M. Harry. Il était à spéculer et tout le monde répétait qu'il avait bien, jusqu'alors, réussi!

– Oh, madame, dit Anita, que vous êtes aimable de me donner de si bonnes nouvelles!

Les deux dames suivirent leur route jusqu'à la demeure de Ninie d'où Rogers sortit et vint à la rencontre de son épouse. Les deux dames entrèrent. Ninie présenta à son époux, timidement, mais confiante dans sa bonté, Mde Anita. Après quelques paroles échangées, M. Rogers dit à Anita :

– Vous pouvez retourner heureuse, maintenant, à votre demeure, car je viens d'apprendre que M. Harry est justement de retour des pays de Porcupine et de Cobalt où, sans y avoir amassé une fortune, y a acquis beaucoup d'argent... Anita, affolée du bonheur de cette nouvelle, remercia et s'éloigna...

Harry était de retour! Il avait expié sa faute! Il demanda pardon à Rogers!

Rogers et Ninie partirent pour un voyage en Europe...

"DEPART DE ROGER ET DE NINIE POUR l'EUROPE"

EDIFICE
BIRKS

TABLE DES MATIÈRES DU ROMAN

BIBLIOGRAPHIE

ÉCRITS LITTÉRAIRES DE VIRGINIE DUSSAULT

ROMAN :

Amour Vainqueur, Montréal, J.-R. Constantineau, 1915, 166 p.

POÉSIE :

« Hommages à nos pionniers (1863–1890) », dans *Album Souvenir – 50e anniversaire de la Paroisse St-Bruno-de-Guigues, Témiscamingue (Québec) 1905–1955;* repris dans Le comité du livre de St-Bruno-de-Guigues et Daniel Côté, *Regarde, j'ai tant à te dire... Centenaire de la municipalité de St-Bruno-de-Guigues (1897–1997).*

« Hommage à Nelligan », « Avril », « Sérénité », « Idylle printanière », « Sous nos frimas canadiens », « Octobre », « Mes jours » dans Lorraine Nobert, « Virginia Pétosa : poète », *Vie et histoire des femmes du Témiscamingue*, Ville-Marie, Imprimerie du Témiscamingue, 1988.

« Marie, Reine de la Paix », [s.d.], [s.l.], FVDAP 08/SHT/P -FP-7-1).

« Réminiscence », [s.d.], [s.l.], FVDAP 08/SHT/P -FP-7-4).

« À nos défricheurs », [s.d.], [s.l.], FVDAP 08/SHT/P -FP-7-8).

« Paysage automnal », [s.d.], [s.l.], FVDAP 08/SHT/P -FP-7-9).

« Salut! Arbres Canadiens », [s.d.], [s.l.], FVDAP 08/SHT/P -FP-7-10).

« Coin champêtre », [s.d.], [s.l.], FVDAP 08/SHT/P -FP-7-12).

À PROPOS DE VIRGINIE DUSSAULT

FONDS VIRGINIE-DUSSAULT et ANGELO PETOSA, FP Dussault-Petosa, Ville-Marie, Archives nationales du Québec, Centre régional de l'Abitibi-Témiscamingue, cote 08/SHT/0 - FP

NOBERT, Lorraine, « Virginia Pétosa : poète », dans Francine Hudon, *Vie et histoire des femmes du Témiscamingue*, Ville-Marie, Imprimerie du Témiscamingue, 1988.

ROUSSEAU, Guildo, « Amour vainqueur », dans Maurice Lemire (dir.), *Dictionnaire des oeuvres littéraires du Québec, tome II, 1900 à 1939*, Fides, 2e éd., Montréal, 1980, p. 44.

TREMBLAY, Micheline, « Virginie Dussault : une auteure subversive (1891–1969), *Revue du Nouvel-Ontario*, n° 27, 2002, 93–122.

TABLE DES PHOTOGRAPHIES
ET DES ILLUSTRATIONS

TABLE DES MATIÈRES GÉNÉRALE

Collection *Voix retrouvées*

Collection dirigée par :
Roger Le Moine et Réjean Robidoux

Ouvrages déjà parus :

1. Louise-Amélie Panet, *Quelques traits particuliers Aux saisons du Bas Canada Et aux mœurs De l'habitant de ses Campagnes Il y a quelques quarante ans Mis en vers*, 2000, LIV, 82 p.
   Texte édité par Roger Le Moine

2. Régis Roy (1864–1944), *Choix de nouvelles et de contes*, 2001, 284 p.
   Edition préparée par Mariel O'Neill-Karch et Pierre Karch

3. Félix-Antoine Savard, *Louise de Sinigolle*, 2001, 250 p.
   Dossier original mis à jour et présenté par Réjean Robidoux

4. Augustin Laperrière (1829–1903), *Les pauvres de Paris – Une partie de plaisir à la caverne de Wakefield ou Un monsieur dans une position critique et Monsieur Toupet ou Jean Bellegueule,* 2002, 215 p.
   Édition préparée par Mariel O'Neil-Karch et Pierre Karch

5. Marius Barbeau, *Le pays des gourganes* et *Le chanteur aveugle,* 2003, 161 p.
   Textes présentés par Jean des Gagniers

À paraître:

Philippe-Aubert de Gaspé (fils), *L'Influence d'un livre.* Édition préparée par Luc Bouvier

Achevé d'imprimer
sur les presses AGMV Marquis
Cap-Saint-Ignace (Québec)
en septembre 2003